Сборник трудов
Бааль Сулама
Адаптированные статьи

МЕЖДУНАРОДНАЯ
АКАДЕМИЯ
КАББАЛЫ

Бааль Сулам
Сборник трудов Бааль Сулама./ под ред. М. Лайтмана – 5-е
изд. – Laitman Kabbalah Pablishers.– 360 с.

Baal Sulam
Sbornik trudov Baal Sulama. / Edited by M. Laitman – 5th
edition. – Laitman Kabbalah Pablishers. – 360 pages.

ISBN 978-965-7577-80-6
DANACODE 760-125

Йегуда Ашлаг (Бааль Сулам) является основоположником
современной каббалы.
Материал подготовлен на основе статей Бааль Сулама
и адаптирован М. Лайтманом и группой переводчиков
Международной академии каббалы.
   Публикуемые материалы содержат глубокий анализ различных общественно-политических проблем и показывают
пути их решения. Это особенно актуально сегодня, когда все
человечество погружается в глобальный кризис, требующий
немедленного радикального решения.

ISBN 978-965-7577-80-6
DANACODE 760-125

ОГЛАВЛЕНИЕ

ВСТУПЛЕНИЕ

Наследие Вавилона

Тысячелетиями каббала оставалась скрытой от человечества, и в то же время поддерживала к себе неугасающий интерес. Философы и ученые всего мира, в том числе такие выдающиеся личности, как И. Ньютон, Г. Лейбниц, Пико делла Мирандола, исследовали эту науку, понимая, что в ней заложены основополагающие знания об устройстве мира. Однако и по сей день очень немногим известны истинные истоки каббалы, и что она представляет собой на самом деле.

Наука каббала зародилась более четырех тысяч лет назад в шумеро-аккадский период. Ее основы были заложены во времена Древнего Вавилона. Именно там жил Авраам – не просто библейский персонаж, а первый каббалист в истории человечества. Авраам родился в Месопотамии (долина между реками Тигр и Евфрат), в области, называвшейся Шумером, около четырех тысяч лет назад (18 в. до н.э.).

Библия повествует о «земле Сеннаарской» как о месте, где зародилась первая цивилизация. Современное деление года на месяцы, недели и дни, деление круга на градусы, индоевропейские языки и корни всех известных религий восходят к древнему Сеннаару. Эта эпоха знаменует собой первый всплеск эгоистических желаний.

Вся история человечества определяется развитием эгоизма. Постоянно растущие запросы толкали людей к изучению и освоению окружающей среды. В отличие от всей остальной природы нашего мира, человек постоянно развивается, как из поколения в поколение, так и каждый лично – в течение своей жизни. На вавилонском этапе эгоистического

11

развития произошел качественный скачок: вместо того чтобы изменять себя в соответствии с природой, люди захотели изменять природу в соответствии со своими представлениями и свойствами. Аллегорически это описывается в виде желания построить башню до небес.

Вот библейское описание[1]: «На всей земле был один язык и одно наречие. Двинувшись с востока, они нашли в земле Сеннаар равнину и поселились там. И сказали друг другу: построим себе город и башню, высотою до небес, и сделаем себе ИМЯ, прежде чем рассеемся по земле. И сошел Господь посмотреть город и башню, которые строили сыны человеческие. И сказал Господь: вот, один народ, и один у всех язык. Вот что они начали делать – и не отстанут от задуманного. Смешаем язык их, чтобы один не понимал речи другого. И рассеял их Господь оттуда по всей земле – так они перестали строить город и башню».

Иосиф Флавий так описывает вавилонское строительство[1]: «К ослушанию Творца призывал народ Нимрод. Он советовал построить башню такой высоты, чтобы ее не затопила вода, если Творец вновь нашлет потоп – и тем отомстить Творцу за гибель предков. Толпа согласилась, и люди стали считать повиновение Творцу позорным рабством.

С большим желанием начали строить башню. Видя, что люди не исправляются после урока потопа, Творец сделал их разноязычными – они перестали понимать друг друга и разошлись. Место, где строили башню, назвали Вавилон, от произошедшего там смешения языков (лебальбель – запутать, ивр.), вместо которых раньше был один язык».

В начале XX века немецкий археолог Р. Кольдевей (Robert Koldewey) обнаружил в Вавилоне руины башни размером 90x90x90 метров. Древнегреческий историк Геродот, живший в 5 в. до н.э., описал башню как семиярусную пирамиду сходных размеров. Исторические источники сообщают, что в

---

1   Иосиф Флавий, «Иудейские древности». Соч. в 2 т. Т.1, книга первая, гл.4. АСТ, 2003.

центре Вавилона был расположен храмовый город Эсагила, а в его центре – Вавилонская башня, храм верховного божества Мардука. Называлась она Этеменанки, что означает «краеугольный камень Небес и Земли».

Эсагила являлась центром всего древнего мира, который пренебрег изучением природы мироздания и поставил во главу угла собственный эгоизм. В результате, человечество вступило в конфронтацию с законами природы, а люди – друг с другом.

Астрология, гороскопы, гадания, магия цифр, спиритизм, мистика, колдовство, заговоры, сглазы, вызывание духов – все это появилось в Вавилоне, дошло до наших дней и сегодня переживает последний всплеск популярности.

Доктор Расселл Грей из Университета Окленда в Новой Зеландии вычислил возраст 87 индоевропейских языков и определил, что они возникли в период Вавилонской башни. Оттуда произошла миграция на запад – в Европу и на восток – в Индию.

ВАВИЛОН – ВНУТРИ КАЖДОГО

С тех пор человек эгоистически противостоит Природе, иными словами – свойству полного альтруизма. Век за веком он создает искусственную защиту от Природы, вместо того чтобы прийти в соответствие с ней. Однако эгоизм продолжает расти по экспоненте, поэтому новейшая история ознаменовалась небывалым развитием науки и техники.

Это и есть возведение Вавилонской башни: человек предпочитает не исправлять себя, а властвовать над Природой. Сегодня мы начинаем осознавать, что со времен Вавилона весь наш путь вел в тупик. Можно сказать, что именно теперь, благодаря осознанию кризиса и безвыходности, происходит разрушение Вавилонской башни. Человечество начинает понимать, что в борьбе с Природой оно обречено на поражение.

Наука каббала объясняет, что эгоистические желания в их естественном виде неукротимы. Новые наслаждения исчезают, оставляя после себя новые потребности, настолько сильные, что их уже невозможно удовлетворить.

Пришло время пересмотреть курс, взятый в Вавилоне. Хотя эгоизм и разобщил людей, Природа по-прежнему относится ко всем нам как к единой системе, как к одному человеку. Этот собирательный образ называется Адам, от слова «домэ» (подобен Творцу). По замыслу творения, эгоизм должен расти в нас до тех пор, пока мы не осознаем, что представляем собой единое целое.

Современная глобализация выявляет два полюса: с одной стороны, все мы взаимосвязаны и взаимозависимы, а с другой стороны, огромный эгоизм отталкивает нас друг от друга.

Единственным решением может стать альтруизм – не как моральный кодекс, а как образ жизни. Он необходим для выживания человечества именно в наше время, когда каждая вспышка гнева, каждый локальный конфликт грозит вылиться во всеобщую беду.

Трения между нами возросли настолько, что простые правила взаимопомощи больше не действуют. Как следствие, нам нужно по-новому определить альтруизм. Альтруистическим называется намерение или действие, которое исходит не из желания помочь, а из насущной необходимости воссоединить все человечество.

В древней каббалистической Книге Зоар говорится, что к концу XX века цивилизация достигнет двух пиков: максимального эгоизма и максимальной опустошенности. Тогда-то и настанет время раскрыть человечеству каббалу – методику достижения подобия Природе.

Определив причину наших проблем – предельно возросший эгоизм, мы направим его энергию в правильное русло, на благо единой системы, которая действует в соответствии с законами Природы. Только тогда завершится кризис, начавшийся в эпоху Вавилонской башни, и человечество встанет на добрый путь.

Методика изучения каббалы

Особенность каббалистической методики заключается в том, что она непосредственно соединяет человека с описываемыми явлениями. Читая тексты каббалистов, человек не просто изучает универсальные законы мироздания, но приводит их в действие, катализируя процесс подъема на те уровни реальности, которые пока недоступны его восприятию.

Воздействие каббалистических текстов

Все каббалистические труды содержат описание системы взаимоотношений Творца (см. ниже: «Терминология каббалы») и созданных им творений. Многие каббалисты, постигнув замысел творения, описали все состояния нисхождения от наивысшей точки слияния с Творцом и до нашего мира, где творение находится в полном скрытии. Эти труды оказывают особое воздействие на учащихся, ведь они повествуют обо всех состояниях, которые должно пройти все человечество и каждый человек лично, о состояниях, которые существуют в потенциале, но еще скрыты от тех, кто желает их постичь.

Сама по себе каббалистическая формула просто отображает связи между отдельными частями творения. Но если ученик вводит в нее фактор своего устремления, то вызывает на себя определенное воздействие, направленное на подъем в духовный мир. Все духовные состояния или миры (мир в переводе с иврита означает «скрытие») ощущаются внутри наших желаний-свойств, в большей или меньшей степени подобных высшим законам Природы или Творцу (Природа и Творец идентичны). В Книге Зоар сказано, что все миры находятся внутри человека. Если мы не будем забывать об этом, то избежим множества ошибок в процессе обучения.

КРАТКОЕ ОПИСАНИЕ ТРУДОВ БААЛЬ СУЛАМА

Статьи («Поручительство», «Мир» и другие) написаны специально для начинающих учеников и направляют их на самопознание, на внутреннее исследование своей природы. Письма написаны, как правило, не для общего изучения, а используются в частном, узком применении. Письма изучаются избирательно в зависимости от внутренних состояний ученика.

«Учение Десяти Сфирот» – основополагающий учебник по каббале, который описывает всю духовную работу человека, проходящего ступени исправления, изменения своей природы, а для тех, кто еще не вступил на ступени внутреннего постижения, является источником воздействия и изменения внутренних качеств с целью уподобления свойствам Творца. «Учение Десяти Сфирот» начинают изучать после статьи «Введение в науку каббала» по следующему порядку: 4, 6, 8, 16, 3, 15, 1, 2, 7, 9, 10, 11, 12, 14, 13, 5 части.

Книга Зоар с комментариями Бааль Сулама – это объяснение духовной работы по методике трех линий. Книгу Зоар могут воспринять только продвигающиеся по трем линиям, то есть люди, уже находящиеся на определенном духовном уровне восприятия законов природы или Высшей силы. Эту силу мы называем Высшей, духовной, так как Она нас создала, Она является причиной, а мы следствием. Книгу Зоар изучают после статьи Бааль Сулама «Предисловие к Книге Зоар» и статьи «Введение в науку каббала».

Подход к учебе

Ученику, начинающему изучать науку каббала, трудно понять, что само постижение этой науки является средством изменить себя, открыть и почувствовать более высокие, более близкие к цели творения уровни реальности.

Человек должен воспринимать учебу в качестве лаборатории, а себя – в качестве объекта исследований, который он исправляет, изменяет и совершенствует. Всегда необходимо помнить, для чего ты учишься, с какой целью открываешь книгу, чего желаешь достичь с ее помощью.

С этой точки зрения, необходим максимально прагматичный подход к процессу обучения – подход требовательный и целенаправленный.

По каббалистическим текстам мы изучаем законы Высшего мира и тем самым вызываем на себя их воздействие. Каббалистические тексты являются источником сил, а накопление знаний – вещь второстепенная. Изучать науку каббала можно на любом языке, но основные термины и понятия необходимо запомнить на языке оригинала.

Терминология каббалы

Как и в любой академической науке, получение знаний в каббале является поэтапным, многоуровневым процессом. Прежде всего, усваивается верхний, наиболее легкий уровень, исходные данные, упрощенные схемы, общая картина.

Затем наступает второй этап – подробный анализ каждой детали. Затем третий – соединение всех деталей в общую единую картину. Таким образом, шаг за шагом перед нами вырисовывается общая идея системы. Затем уточняются детали, процессы начинают постигаться не умозрительно, не теоретически, а чувственно.

Специалистом в любом деле можно назвать того, кто обходится без приборов и чертежей – что называется, наделен шестым чувством. В каббале требуется многократное осмысление текста, пока в человеке не проявятся впечатления, адекватные изучаемому материалу.

Это можно сравнить с ощущениями музыканта, читающего партитуру: нотные знаки дают ему полную картину музыкального произведения. В результате каждое слово будет вызывать внутри нас соответствующую чувственную, а не только умозрительную реакцию.

Переход от мысленных конструкций, отвлеченных понятий и сухих чертежей к желанию реально участвовать в описываемых процессах требует четкого знания каббалистической терминологии. Тогда мы сможем автоматически внутри себя трансформировать любой термин в объект реальности, и он станет частью нашего восприятия.

Краткий словарь основных терминов

Альтруизм. Желание наслаждений, исправленное намерением наслаждать ближнего, не получая наслаждения для себя. Желание совершать отдачу ближнему.

Высшая сила, Высший свет. Свойство отдачи, управляющее всей реальностью. Включает в себя все частные законы Высшего мира и нашего мира.

Высший мир, духовный мир. Состояние, раскрывающееся человеку, который достигает какой-либо меры подобия по свойствам Высшей силе.

Душа. Желание отдавать.

Желание наслаждать. Намерение доставить удовольствие другому — тому, кто находится вне желания человека. Желание совершать отдачу.

Желание наслаждаться, желание получать. Человеческая природа. Естественное желание наполнить себя, созданное Высшим светом.

Замысел творения о принесении блага созданиям Творца. Причина, по которой было создано творение, включающая цель сотворения, то есть конечную его форму.

Каббалист. Человек, достигший определенной меры подобия свойств с Творцом.

Кли, сосуд. Духовный «сосуд», наполняющийся ради отдачи ближнему.

Материальный мир. Реальность, ощущаемая человеком с помощью пяти физических органов чувств.

Махсом. Граница между этим миром и миром духовным.

Мир Бесконечности. Состояние, при котором душа неограниченна в своей способности совершать отдачу Творцу.

Миры. Состояния, которые человек проходит в процессе уподобления по свойствам Высшей силе, свойству отдачи. Эти состояния называются: Асия, Ецира, Брия и Ацилут.

Намерение. Использование человеком желания наслаждений ради себя или ради ближнего.

Наполнение. Чувство удовлетворения в желании наслаждаться или в желании отдавать.

Народ Израиля. Души, стремящиеся достичь подобия Творцу по свойствам. Исправленные желания человека.

Облачение. Процесс, в ходе которого одно свойство принимает форму другого свойства, чтобы с его помощью выполнить определенное действие.

Общий универсальный закон. Закон отдачи, охватывающий всю реальность и обязывающий все ее части уподобиться ему.

Окружающий свет. Сила, исправляющая эгоистическую природу и поднимающая ее к свойству отдачи.

Парцуф. Конструкция, включающая в себя десять сфирот творения, действующих подобно свойствам Высшего света.

Подобие свойств. Обретение человеком свойства отдачи вместо исконно присущего ему свойства получения.

Постижение. Наивысший уровень понимания (понимание всех частных составляющих данного состояния).

Раскрытие Творца. Раскрытие свойства отдачи в желании наслаждений сообразно с величиной экрана, имеющегося над этим желанием.

Свет. Сила отдачи, приводящая в действие и наполняющая все души.

Творение. Желание наслаждений, раскрывающее свою связь с Творцом.

Творец, Природа. Универсальный закон мироздания, уровень, которого человек должен достичь в результате всех своих исправлений.

Тора. Высший свет, который раскроется во всех исправленных желаниях человека.

Точка в сердце. Зачаток духовного желания, пробуждение к тому, чтобы познать Высшую силу.

Эгоизм. Желание наслаждаться ради себя, представляющее собой материал творения.

Экран. Намерение отдачи ближнему, поставленное над желанием творения наслаждаться.

Этот мир. Самое малое желание наслаждений, оставшееся без всякого намерения по отношению к Высшему свету, будь то намерение наслаждаться им или наслаждать Творца.

Содержание

1. Время действовать

Уже долгое время чувство ответственности подталкивает меня к тому, чтобы преподнести широкому кругу общества истинные сведения о науке каббала...

2. Условия разглашения каббалистических знаний

Существуют три причины скрытия каббалистических знаний. И нет ни одной мельчайшей детали в каббале, на которую не были бы наложены одновременно эти три вида запретов разглашения, и разрешение разгласить любое знание получается при удовлетворении всех трех запретов...

3. Наука каббала и ее суть

В общем, наука каббала – это раскрытие Высшей управляющей силы всеми путями во всех ее свойствах и проявлениях, раскрывающихся в мирах, подлежащих раскрытию человеком в будущем, всеми способами, какие только можно применить для исследования ее в мирах, до конца всех поколений.

4. Наука каббала и современные науки

Ценность любой науки в мире определяется ценностью ее предназначения. Поэтому не существует науки, не имеющей цели. Какова цель науки, такова и ее значимость. Поэтому наука ценится не по своей точности и знаниям, а по той пользе и преимуществам, которые она дает...

5. Общий характер науки каббала

Познание материи – это постижение взаимоотношений во всей существующей действительности, форм ее существования и порядка нисхождения от первоначального замысла до этого мира, как сверху вниз, так и снизу вверх. Основной принцип познания этого – это постижение причины и следствия происходящего, поскольку это дает полную картину всей науки, подобно тому, как это происходит в естественных науках...

6. Материя и форма в науке каббала

Наука, в общем, подразделяется на две части: первая называется познанием материи, а вторая – познанием формы. Это означает, что в окружающей нас действительности нет ничего, в чем нельзя было бы распознать материю и форму.

Например, стол. У него есть материя, то есть, дерево, и он имеет форму – форму стола. И материя, то есть дерево, является носителем формы, представляющей собой стол. Также и слово «лжец»: у него есть материя – человек, и есть форма – лжец, так что материя – человек, является носителем формы – лжи. И так – во всем...

7. Сравнительный анализ каббалы и философии

Философия считает, что материальное является порождением духовного, душа порождает тело. Проблема такого утверждения в том, что в таком случае обязательно наличие связи между духовным и материальным. А поскольку, с другой стороны, утверждается, что духовное не имеет никакого отношения к материальному, то нет никакого пути или способа, который бы дал духовному возможность иметь контакт с материальным, и каким-то образом приводить его в движение...

8. Суть науки каббала и ее цель

Весь корень неправильного понимания сущности науки каббала и ее цели исходит из неверного понимания ответов на три вопроса:

1. В чем суть науки каббала?

2. Цель ее достигается в этом мире или в мире будущем?

3. Наука каббала служит на благо человеку или для блага Высшей управляющей силы?

9. Тело и душа

Все теории тела и души, распространенные в мире, можно объединить в три нижеследующие теории...

10. Внутреннее созерцание

Когда речь идет о Высшем мире, независимом от понятий времени, места и движения, нет у нас слов для его описания, потому что весь наш словарь взят из ощущений в наших земных органах чувств. А там, где наши органы чувств и воображение не работают, мы оказываемся без возможности выразить ощущаемое в новом органе чувств, экране.

11. Четыре мира

Каждый мир из АБЕА – дающий и получающий относительно душ. Каббалисты исследуют только материю и форму материи в мирах Асия и Ецира, потому что мир Брия, их общность, с трудом воспринимается разумом. Основой является мир Асия, то есть материал множества частных желаний, каждое из которых имеет свою форму. Это легко усваивается разумом и развивает его, позволяя исследовать каждую отдельно взятую особенность, отделить и отличить ее от остальных – это и является целью работы: познать преимущества света над тьмой в каждой детали существующей действительности...

12. Суть науки каббала

Наука каббала представляет собой причинно-следственный порядок нисхождения Высших сил, подчиняющийся постоянным и абсолютным законам, связанным между собой и направленным на раскрытие Высшей управляющей силы (Творца) человеку в этом мире...

13. Свобода воли

В одной древней молитве говорится: «Боже! Дай мне силы изменить в моей жизни то, что я могу изменить, дай мне мужество принять то, что изменить не в моей власти, и дай мне мудрость отличить одно от другого». На что же именно в нашей жизни мы можем влиять? Достаточно ли отпущенной нам свободы действия, чтобы менять свою жизнь и судьбу? Почему человек естественным путем, от природы не получает этого знания?..

14. Мир в мире

У всего, существующего в действительности, и хорошего, и плохого, и даже самого худшего и вредного в мире, есть право на существование. И нельзя истреблять и уничтожать его полностью – на нас возложена задача лишь исправить его и возвратить к Источнику...

15. В себе найти Творца

В нашем материальном мире человек не может существовать без определенных знаний о законах материальной природы, о том, что полезно и что вредно для него в окружающем мире и в окружающих людях. Точно в такой же мере душа человека не может существовать в духовном мире, не обретя знаний о его природе...

16. Любовь к Творцу и творениям

«Возлюби ближнего как себя». Это высказывание является одним из самых знаменитых и цитируемых. Часто его перефразируют, в виде: «Не делай другому того, что ненавистно тебе». Но хотя оно всем известно, правильно ли мы понимаем его смысл?..

17. Один закон

Исправление исконной природы человека, его эгоистических желаний, необходимо производить только во имя слияния с Высшей силой, подобием ей, обретением свойства отдачи, то есть ради ее наслаждения, как она желает насладить нас...

18. Мир

Насколько противоречив и непонятен окружающий нас мир? На каких принципах основаны неизменные законы его управления? О контрастах и противоречиях Высшего управления, которые ощущает человек, повествует эта статья...

19. Созидающий разум

Каждый человек обязан достичь корня своей души. Это означает, что желаемой и ожидаемой целью творения является его слияние со свойствами Творца: «Как Он милосерден, так и ты...». Как известно, свойства Творца – это сфирот. В этом и заключается тайна действующего разума, управляющего своим миром и соизмеряющего их посредством блага, получаемого от Творца...

20. Предисловие к Книге Зоар

Попытаемся в данной статье выяснить некоторые простые, на первый взгляд, истины, объяснить которые пытались многие, и много чернил было пролито для их выяснения...

21. Вступление к Книге Зоар

Все, о чем говорится в науке каббала – это понятия десяти сфирот, называемых КАХАБ, ХАГАТ, НЕХИМ, и их различные сочетания вполне достаточны, чтобы раскрыть нам суть любого Высшего знания. Но начинающему необходимо уяснить для себя несколько правил правильного подхода к изучению науки каббала...

22. Предисловие к книге «Древо жизни»

В подчас видимой глазам простоте каббалистических текстов нет никакого смысла, а внутреннее скрыто и непонятно никому, кроме постигающих эту истинную мудрость, потому что она постигается ступенчато:
• простой смысл;
• толкование;
• намек;
• тайна.

Однако можно также сказать, что постижение начинается не с простого смысла, а с тайны, когда все кажется еще непонятным и поэтому тайным, а простой смысл, полное знание, постигается самым последним.

23. Предисловие к книге «Уста мудрого»

Каббалисты считают, что изучать науку каббала обязан каждый человек, потому что, если он не изучал ее, он вынужден будет снова придти в этот мир, чтобы изучать эту науку. Чем же наука каббала отличается от остальных наук, если ею должен овладеть каждый, а если не овладеет, считается, будто бы зря прожил в этом мире? Почему совершенство человека зависит от изучения науки каббала?

24. Предисловие к Учению десяти сфирот

Прежде всего необходимо разрушить железную стену, существованием своим отделяющую нас от науки каббала со времен разрушения Храма 2000 лет назад и далее, вплоть до нашего поколения. Она отрезает нас от совершенного, вечного, уверенного существования. Вызывает тревогу, как бы люди вовсе не забыли науку каббала и таким образом не опустились в состояние еще большей тьмы, опустошенности и отчаяния.

25. Скрытие и раскрытие Творца

Двойное скрытие (скрытие в скрытии): человек не ощущает даже обратную сторону Творца, что вообще что-либо исходит от Творца. Он ощущает, что Творец покинул его, не обращает на него внимания. Страдания – относит на счет судьбы и слепой природы (поскольку отношение Творца к нему ощущается крайне спутанным, приходит к неверию).

26. Воздействие Творца – прямо и косвенно

«Сзади и спереди ты объемлешь меня» – сказано метафорически, то есть и в сокрытии (сзади), и в раскрытии (спереди) Высшей силы человеку...

ВРЕМЯ ДЕЙСТВОВАТЬ

Настало время раскрыть науку каббала всему человечеству. Каббала объясняет, как устроено мироздание, кто такой человек и в чем цель его существования. Природа ничего не создает зря, потому что она, по сути, – и есть Творец. Окружающий нас мир, всё, что мы ощущаем, – это проявление Творца. Сегодня Творец направленно воздействует на нас, чтобы мы раскрыли Его. Если мы сможем это сделать, используя каббалистическую методику, то будем жить в другом объеме мироздания, в другом ощущении бытия, в вечном, совершенном потоке энергии и информации. Достичь этого ощущения человечество должно уже в нашем поколении.

От редакции

Уже долгое время чувство ответственности подталкивает меня к тому, чтобы преподнести широкому кругу общества истинные сведения о науке каббала.

До возникновения книгопечатания не появлялись книги, поверхностные по содержанию, поскольку не было смысла платить немалые деньги переписчику за не пользующийся спросом товар. С другой стороны, каббалисты стремились скрыть знания каббалы от тех, кто по-настоящему не нуждался в этом. Поэтому если и появлялись каббалистические книги, они были истинными.

Однако с изобретением книгопечатания распространилась в мире болезнь «книгописания», и не требуется более писателям нанимать дорогих переписчиков для размножения своих книг. Цена книги упала, и безответственным сочинителям открылась возможность «делать» книги для удовлетворения потребностей кармана и в поисках известности.

Вследствие этого появились всякого рода «специалисты», каждый в выбранной им области, издающие все, что угодно, в поисках славы и богатства. А есть среди них знающие якобы толк в книгах и потому диктующие обществу, какие книги важны.

В последние десятилетия взялись подобные знатоки и за каббалу, не понимая, что передать эти знания может только получивший их из уст признанного учителя-каббалиста.

Но «знатокам» каббалы необходима известность и деньги. Потому издается все больше книг, авторы которых пишут и выпускают свои совершенно невежественные сочинения без всякой углубленной подготовки у соответствующего авторитетного учителя и даже без серьезного изучения источников, не осознавая размеров ущерба, который умножится еще и в последующих поколениях.

И потому совершенно извратилась у общества реальная оценка истины, и появилась такая легкость взглядов и оценок, что каждый, полистав в свободное время каббалистический текст, может делать выводы о каббале – науке о скрытой части мироздания.

Эти причины и вынудили меня приоткрыть истинные истоки широкому кругу читателей.

УСЛОВИЯ РАЗГЛАШЕНИЯ КАББАЛИСТИЧЕСКИХ ЗНАНИЙ

На протяжении пяти тысячелетия со времен Авраама, который первым открыл эту науку, каббалисты хранили методику исправления человека, развивая и адаптируя ее для нас. Задолго до современности, они предсказывали, что наука каббала раскроется именно в наши дни, когда человечеству понадобится эта методика. Сегодня уже созрели все условия для того, чтобы каббала вышла в мир и сыграла решающую роль в духовном подъеме человечества.

От редакции

Существуют три причины скрытия каббалистических знаний:

• нет необходимости;
• невозможно;
• личная тайна Создателя.

Нет ни одной мельчайшей детали в каббале, на которую не были бы наложены одновременно эти три вида запретов разглашения. А разрешение на то, чтобы разгласить любое знание, получается при удовлетворении всех трех запретов.

Запрет «нет необходимости» допускает разглашение знания только в случае явной пользы обществу. Каббала считает, что если знания оказываются в руках недостойных, морально низких людей, то они могут быть использованы во вред обществу. Как сказано: «Умножающий знания человек – увеличивает скорбь».

Мы видим результат бесконтрольного раскрытия знаний в нашей тревожной жизни, в угрозе уничтожения, терроре. Причина этого в том, что большинство людей действуют, не думая о последствиях, то есть бездумно относятся к распространению знаний, в которых нет необходимости. Именно они являются источником многих страданий в мире. Поэтому каббалисты принимали в ученики лишь того, кто способен хранить знания и не раскрывать их, если в этом нет необходимости.

Запрет «невозможно» вытекает из ограниченности языка, неспособного передать тонкие духовные понятия, не ощущаемые нами явно. Поскольку все словесные попытки обречены на неудачу и ведут к ошибочным представлениям, сбивающим человека с пути, то раскрыть такое знание может только каббалист, достигший определенного высокого духовного уровня.

Великий каббалист АРИ говорил, что души каббалистов наполнены внешним (окружающим) или внутренним (наполняющим) свечением. Те, чьи души наполнены окружающим свечением, обладают даром излагать каббалистические знания, облачив их в ясные слова так, что поймут их только достойные. Великий РАШБИ обладал душой, наполненной окружающим свечением, потому была у него сила излагать так, что даже когда он выступал перед большим собранием, понимали его лишь те, кто достоин был понять. Поэтому только ему свыше было позволено написать Книгу Зоар. Хотя каббалисты, жившие до него, постигли не меньше, не было у них способности облечь духовные понятия в слова, как мог только он.

Таким образом, условия изложения каббалистических знаний зависят не от уровня знаний каббалиста, а от свойства его души, от его способности выразить словами неощущаемое другими людьми. Лишь в зависимости от наличия в себе этой способности каббалист получает разрешение раскрыть определенную часть каббалистических знаний.

Поэтому нет ни одного фундаментального сочинения по каббале, написанного до Книги Зоар. А имеющиеся более ранние каббалистические книги содержат лишь туманные и беспорядочно изложенные намеки. После РАШБИ (2 век н.э.) лишь АРИ (16 век н.э.) было позволено еще больше раскрыть некоторую часть каббалы.

Возможно, уровень знаний каббалистов, живших до АРИ, был намного выше, но им не позволялось раскрывать свои знания по указанной причине. Поэтому со времени появления сочинений АРИ, все занимающиеся каббалой оставили все прочие книги и изучают лишь Книгу Зоар и труды АРИ.

Запрет «личная тайна Создателя» состоит в том, что каббалистические знания раскрываются лишь тем, кто самоотверженно отдает себя идее подобия Творцу. Поэтому во все века каббалисты принимали в ученики только тех, в ком проявлялось это беззаветное стремление к постижению. Поскольку иных не принимали и скрывали каббалу от широкого круга общества, то многие шарлатаны, выдавая себя за каббалистов, зарабатывали предсказаниями, изготовлением амулетов, снятием сглаза и прочими «чудесами», заманивая доверчивых людей. И по сей день есть подобного рода «каббалисты» и покупатели их «божественных» талисманов, красных ниток и святой воды.

Первоначальное скрытие каббалы было вызвано именно этой причиной, потому истинные каббалисты приняли на себя жесткие обязанности по проверке учеников. Поэтому даже те единицы в каждом поколении, которые допускались к изучению каббалы, раскрывали какую-то ее часть только при освобождении от всех трех вышеперечисленных запретов.

Дело в том, что человек устремляется к постижению свойств Высшего мира и к подобию Творцу только тогда, когда в нем пробуждается «точка в сердце». Только такого человека можно обучать каббале. Остальные же устремляются к изучению «магических действий для управления судьбой и манипуляции другими». Конечно, в магии нет никаких сил, кроме психологического убеждения человека, которое во многих случаях действительно «делает чудеса».

Но не следует путать магию с Высшими силами и свойствами. Поэтому и сегодня существует «каббала для потребителей» и «наука каббала». Первая – для выгоды продавцов амулетов. Вторая – только для людей, истинно устремленных к духовному совершенствованию.

Не следует думать, что три запрета разглашать каббалистические знания делят на три части саму каббалу. Напротив, каждая часть, каждое слово, каждое понятие и определение подпадает под эти три запрета.

Возникает вопрос: если эта наука настолько глубоко скрыта, как появились многочисленные сочинения о ней? Дело в том, что есть разница между двумя первыми запретами и последним. Последний запрет является самым строгим, однако два первых запрета не являются постоянными. По мере развития человечества запрет «нет необходимости» преобразуется в принцип «есть необходимость». Так в свое время получили разрешение на раскрытие каббалы РАШБИ, АРИ и, в меньшей мере, другие каббалисты. Поэтому появляются иногда истинные книги по каббале. Так и в наше время запрет «нет необходимости разглашать» обращается в принцип «есть необходимость», и поэтому наука каббала раскрывается всему человечеству.

НАУКА КАББАЛА И ЕЕ СУТЬ

Каббала – это методика раскрытия Творца всеми людьми, во всех состояниях и во все времена. Человек, изучающий эту науку, постигает наш мир и мир духовный, познает реальность и свою роль в мироздании, раскрывает все света и сосуды, все творение от начала до конца. Другими словами, наука каббала – это все, что исходит от Творца, за исключением Его самого.

Статья рассматривает принципы и основные положения, на которых базируется каббалистическая методика.

От редакции

НАУКА КАББАЛА

Наука каббала – это раскрытие Высшей управляющей силы всеми путями во всех ее свойствах и проявлениях, раскрывающихся в мирах и подлежащих раскрытию человеком в будущем, всеми способами, какие только можно применить для исследования ее в мирах, до конца всех поколений.

ЦЕЛЬ ТВОРЕНИЯ

Поскольку нет ничего бесцельного у всего порожденного Высшей управляющей силой, постольку, несомненно, у нее самой есть цель творения, развернувшегося перед нами. Из всего разнообразия действительности, порожденной Высшей силой, особую важность представляет собой осмысленное ощущение, данное исключительно человеку, благодаря которому он ощущает страдания ближнего.

Поэтому, если у Высшей управляющей силы есть цель творения, то объектом ее является человек, и все сотворено только ради достижения человеком своего предназначения – состояния, в котором он ощутил бы управляющую им Высшую силу. Вследствие сближения, по мере подобия свойств отдачи и любви, возникает в человеке огромное наслаждение, вплоть до чудесного ощущения полного взаимного контакта с Высшей управляющей силой.

СВЕРХУ ВНИЗ

Известно, что конец действия и его результат всегда присутствуют уже в первоначальном замысле. Так, желающий построить дом мысленно рисует его, и этот образ является его целью. Исходя из этого, он создает план строительства, чтобы намеченная цель была успешно достигнута.

Так и в мироздании: после определения цели выясняется, что порядок творения во всех своих проявлениях определен заранее и только в соответствие с той целью, согласно которой человечество будет развиваться и подниматься в свойстве отдачи, до тех пор, пока не станет способным ощутить Высшую управляющую силу так же, как своего ближнего.

Свойство отдачи обретается человеком постепенно, будто он поднимается по ступеням лестницы, преодолевая их одну задругой, пока не достигает своей цели. И знай, что количество и качество этих ступеней определяется двумя действительностями:

1. Действительность материи — порядок раскрытия Высшего света сверху вниз, от Первичного источника, определяющего меру и качество света, исходящего из сути Творца. Высший свет осуществляет сокрытия, одно за другим, пока не возникнет из него материальная действительность и материальные создания.

2. Действительность Высшего разума — после нисхождения света сверху вниз, создается порядок подъема творения снизу вверх, представляющий собой ступени лестницы, в соответствии с которыми развивается человечество, взбираясь и поднимаясь, пока не достигнет цели творения.

Обе эти действительности исследуются во всех своих частных проявлениях и подробностях в науке каббала.

Необходимость изучения науки каббала

Оппоненты каббалы могут выступать против ее изучения, утверждая, что эта наука предназначена только для тех, кто уже удостоился какой-то степени раскрытия Высшей управляющей силы. Возникает вопрос, должны ли широкие массы заниматься наукой каббала, и для чего им это нужно?

Есть действия, которые каждый человек должен совершить в качестве подготовки к достижению цели своего существования — постижения Высшей силы. Поскольку раскрытие Высшей силы происходит в мере подобия ей, то изучение науки каббала должно сопровождаться намерением человека уподобиться Высшей силе. Именно в мере этого намерения, человек быстрее и эффективнее достигает раскрытия Высшей силы.

Изначально человек не обладает намерением изменить свои эгоистические качества на альтруистические свойства. Поэтому ему необходимо окружение, общество, которое вызвало бы в нем хотя бы минимальное устремление к подобию Высшей силе (см. об этом подробнее в статье «Свобода воли»).

Таким образом, овладение наукой каббала происходит в два этапа:

1. раскрытие Высшей силы;
2. изучение и использование Высшей силы.

Оба этапа человек проходит посредством изучения науки каббала.

Отсюда понятно отличие науки каббала от естественных наук: если естественные науки мы постигаем с помощью уже имеющихся у нас органов чувств, то науку каббала мы начинаем изучать, совершенно не ощущая сам предмет изучения, и по мере изучения обретаем новый орган чувств. Тогда начинается второй этап изучения Высшего мира, Высшей управляющей силы – самой науки каббала. Первый этап был все лишь подготовительным, подобно тому, как овладение любой профессией в нашем мире требует обучения, а затем возможно применение ее на практике.

ОБЯЗАННОСТЬ РАСПРОСТРАНЕНИЯ НАУКИ
КАББАЛА

Поскольку вся наука каббала повествует о раскрытии Высшего управляющего нами мира, становится очевидным, что нет другой науки, равной ей по важности для нашего существования. Все человечество постепенно развивается и осознает, что оно не в состоянии выжить без постижения управляющей им Высшей силы.

Намерение ученых-каббалистов заключалось в том, чтобы создать систему постижения, которая была бы пригодна для нашего времени, когда человечество приходит к осознанию необходимости в раскрытии для себя системы Высшего управления. Поэтому на протяжении веков и до нашего времени ученые-каббалисты развивали эту науку втайне. Однако, это скрытие должно было продолжаться только определенное время. Сказано в Книге Зоар: «Откроется мудрость каббалы в конце дней». То есть каждому раскроются все высшие понятия и ступени, сущность творений и их поведение в этом мире, представляющем собой ветви Высшей силы, миры, спускающиеся и отпечатывающиеся сверху вниз, один из другого, подобно печати и оттиску, и все что наполняет эти миры. И так вплоть до нашего самого низкого материального мира, включающего в себя самый Высший мир, как оттиск печати. Наш мир является последней ветвью из всех миров.

Раскрытие Высшей управляющей силы – не одноразовое действие, а ступенчатое постижение, требующее определенного времени. Последовательные постижения Высшего называются ступенями, потому что они расположены в постижении одна над другой, как ступени лестницы.

НАЗВАНИЯ В ДУХОВНОМ

Духовное не имеет облика, поэтому в нашем мире нет средств, которыми можно было бы его выразить. И даже если сказано о нем в общем, что это Высшая сила или Высший свет, который спускается и притягивается к изучающему, пока не «облачается» в него и не постигается им в мере, достаточной для раскрытия самого источника этой силы, то это лишь язык аллегорий. Ведь употребляемые названия не дают реального представления об объектах.

Обычно воздействие Высшей силы на человека называется «свет», по примеру, подсказанному человеческим разумом, когда воздействие Высшей силы на человека ощущается подобно изобилию света и наслаждений во всем теле человека. Когда разрешаются сомнения человека, он раскрывает изобилие света и наслаждения, во всем теле и называет это ощущение «светом разума». Поэтому человека, постигающего Высшую силу, мы можем назвать «облачающим» Высший свет.

Возникает вопрос: не лучше ли давать названия, понятные разуму, такие как «изучение», «постижение», или названия, подчеркивающие явления, которые разум пытается осмыслить? Дело в том, что для явлений, происходящих в Высшем мире, у человеческого разума нет образов, а человек, находящийся на ступенях постижения охватывает и включает в себя все части мира, который постигает. Ведь каждая ступень дает человеку, их постигающему, ощущение всех деталей мироздания, только в своей мере. Постижение происходит так же, как в случае с телом: постигая какое-либо явление, человек воспринимает его целиком, от начала до конца. В начале постижения человек видит все, но не понимает ничего в том, что видит. Но постепенно он проходит этапы постижения, начинает чувствовать и использовать свое постижение в соответствии с высшей целью.

Выясняется, насколько сильно ощущение духовного отличается от явлений, свойственных разуму. Поэтому нам не хватает привычных для нашего разума определений явлений. В таком случае мы вынуждены использовать названия материальных явлений, ведь они абсолютно аналогичны явлениям Высшего мира по форме, хотя и предельно далеки по материалу.

Язык каббалистов

Для описания Высшего мира каббалисты создали собственный язык. Он очень точен в отношении ветви и корня, причины и следствия. Особым достоинством каббалистического языка является то, что с его помощью можно без ограничения описывать мельчайшие детали Высшего мира. Каббалистический язык позволяет также обратиться напрямую к интересующему нас явлению, не увязывая его с предшествующим ему или следующим за ним.

Корень и ветвь

Каждому явлению из всего их разнообразия в неживом, растительном, животном и человеческом уровне этого мира соответствует подобная по форме определенная деталь Высшего мира. Все отличие материальных и духовных объектов – только в их материале. Животное или камень этого мира – это материальные объекты, а соответствующие им животное и камень, находящиеся в Высшем мире, являются духовным материалом, вне времени и пространства. Однако форма у них одна и та же.

Необходимо принять во внимание влияние формы на материал, что обуславливает также и качество формы. Все разнообразие неживого, растительного, животного и человеческого уровней, находящееся в Высшем мире, присутствует и в мире, находящемся над ним, и так – до мира Бесконечности, в котором все детали находятся в своем завершенном состоянии.

Мир Бесконечности находится в центре всего мироздания, что указывает на завершение и цель всего действия. А отдаление от цели называется нисхождением миров от мира Бесконечности до нашего материального мира, наиболее удаленного от цели своего развития. Цель материального мира – в его постепенном развитии и достижении Высшего мира. Таким образом, мир Бесконечности – наивысший из миров. Его мы постигаем в последнюю очередь.

Суть науки каббала

Основой науки каббала является общее знание всех уровней (неживого, растительного, животного и человеческого) и всех их частных проявлений, которые включены в замысел Высшей управляющей силы или цель творения. Поэтому все науки нашего мира включены в науку каббала. Каббала устанавливает общий порядок для всех наук, которому каждая наука должна соответствовать.

Физика, астрономия, музыка и все другие науки точно соответствуют порядку миров и сфирот. Находим, что наука каббала упорядочивает все науки в соответствии с их связью и отношением с ней. Все науки вытекают из каббалы и опираются на нее каждая в своей области. На основе связи с каббалой все науки становятся взаимозависимыми. То есть, все науки зависят от науки каббала, а каббала, в свою очередь, зависит от всех наук. Поэтому развитие любой науки возможно лишь в мере ее соответствия с наукой каббала, изначально включающей в себя все остальные науки.

Постижение единства мироздания

Главным в науке каббала является исследование взаимопроникновения всех частей мироздания: как все части огромной действительности всех пяти миров, управляемые единым законом природы, включаются друг в друга, объединяются и соединяются, пока не составят единое целое, в котором все взаимовключено и соединено воедино.

Далее исследователь Высшего мира обнаруживает, что все миры и сама наука каббала объединены в десять реальностей, которые называются «десять сфирот», и образуют систему из пяти миров относительно центральной точки, обозначающей мир Бесконечности.

Человек начинает изучение науки каббала с точки мира Бесконечности, а затем переходит к изучению десяти сфирот первого после мира Бесконечности мира Адам Кадмон. Далее человек изучает, каким образом неисчислимые детали, существующие в мире Адам Кадмон продолжаются и распространяются, подчиняясь причинно-следственному порядку по тем же законам, которые известны в астрономии, физике и других науках нашего мира. Эти установленные законы являются абсолютно взаимообусловленными. Закон поэтапного развития одного духовного объекта из другого не подлежит нарушению. Четыре мира отпечатываются один от другого, как оттиск от печати, и распространяются от центральной точки, находящейся в мире Адам Кадмон, пока не достигают всего множества явлений, существующих в нашем мире. После этого человек приступает к исследованию всех деталей мироздания, включенных друг в друга, пока не достигает мира Адам Кадмон, затем – десяти сфирот, затем – четырех основных ступеней, а затем и исходной точки мира Бесконечности.

Несмотря на то, что исследуемый материал нами пока не ощущается, можно изучать его логическим путем, как в любой науке. Например, из анатомии, которая занимается изучением отдельных органов и их взаимодействия и организма человека в целом, мы знаем, что отдельные органы сами по себе ничем не напоминают организм человека. Но изучив науку в совершенстве, со временем можно составить общее представление о функционировании всего организма в целом.

Так же происходит постепенное изучение Высшего мира. В начале изучения человек не охватывает общей картины. Ему нужно прежде изучить все детали, механизмы их взаимодействия и причинно-следственные связи, пока он не постигнет всю науку. А когда он узнает все до тонкостей, то придет к пониманию общей картины.

Люди не изучают Высший мир не потому, что он непостижим. Ведь и у астронома нет достаточной информации о звездах и планетах, но он изучает процессы, происходящие с ними. Сами каббалисты скрывали науку каббала в течение тысячелетий, вплоть до нашего времени, когда появилась настоятельная необходимость широкого изучения каббалы по причине развития в человечестве эгоизма и осознания им порочности и тупи-ковости эгоистического развития.

РЕАЛЬНЫЕ НАЗВАНИЯ

Ошибочно считать, что язык каббалы использует абстрактные названия. Он обозначает только реальные явления. В мире существуют такие реалии, которых мы не можем постичь, например, магнетизм, электричество. Их названия не абстрактны, поскольку мы хорошо знакомы с их действиями, и совершенно не важно, что нам неизвестна их суть. Мы даем конкретное название явлению в соответствии с действием, которое оно производит. Даже ребенок может назвать его, как только хоть в чем-то ощутит его действие. Поэтому мы можем давать имя всему, что постигаем. А то, что мы не постигаем, не можем называть по имени.

Кроме того, даже после добросовестного исследования таких реальных объектов, как, например, камень или дерево, мы все равно постигаем не их суть а только ее проявления, взаимодействующие с нашими органами чувств.

Наука каббала говорит о существовании трех сил:
1. тело;
2. животная душа;
3. Высшая душа.

Исследователь различает три вида действий сути в духовных мирах и дает им соответствующие названия. Поэтому в каббале используются не абстрактные, а только конкретные названия.

ПРАВИЛЬНОЕ ИЗЛОЖЕНИЕ НАУКИ КАББАЛА

Для толкования науки каббала можно воспользоваться помощью внешних наук, так как они включены в науку каббала. Однако, наилучшее разъяснение ее происходит при описании Высшего мира в соответствии с корнем и ветвью, причиной и следствием.

ПОСТИЖЕНИЯ НАУКИ КАББАЛА

Постижение науки каббала включает:

1. Понимание текста. Хотя наш мир находится перед исследователем, но вместе с тем он должен проявить немало усердия, чтобы понять этот мир, несмотря на то, что все видит своими глазами.

2. Ощущение текста. Кроме информации, в каббалистическом тексте заключено особое свойство, которое позволяет каждому, несмотря на то, что еще не понимает написанного, постепенно входить в ощущение Высшего мира.

НАУКА КАББАЛА И СОВРЕМЕННЫЕ НАУКИ

Когда-то мы предполагали, что будем наслаждаться плодами науки, что она принесет человечеству радость, счастье, уверенность, комфорт и покой. В свое время ученые предрекали, что машины сократят рабочий день вдвое или вчетверо, однако сегодня люди работают еще тяжелее, а рабочий день длится еще дольше, чем прежде. Темпы ускоряются год от года, и какой бы ни была профессия человека, его жизнь становится все сложнее и тяжелее. Польза научно-технического прогресса оказалась весьма сомнительной. Все достижения науки в итоге привели к глобальному кризису, который она не в силах преодолеть. Виновато ли в этом само научное познание, или же неверен наш подход к тому, что мы открываем?

Результаты научной деятельности могли бы служить нашему благу, если бы мы умели правильно их использовать. Но поскольку мы не знаем, как их применять, они пока что обращены нам во зло. Негативные факторы будут проявляться до тех пор, пока мы не начнем использовать собственные силы и силы природы по назначению. Конфликты и проблемы вызваны нами, и их функция проста – придать нам верный курс к цели. Здесь-то и возникает необходимость в каббале, в особой науке, которая показывает нам, как использовать законы природы правильным образом. Все прочие науки представляют собой лишь набор знаний без всякой направленности и цели. Только каббала устремит в правильное русло все то, что мы узнаем о себе и о мире.

От редакции

Истинность критерия ценности науки

Ценность любой науки определяется ее предназначением. Не существует науки, не имеющей цели. Поэтому наука ценится не по своей точности и знаниям, а по той пользе и преимуществам, которые она дает человеку. Соответственно, при исчезновении пользы, приносимой наукой, пропадет и ее ценность.

Наука всегда имеет высшую основу, и, в итоге, оценивается в соответствии с Высшей целью. Именно мера соответствия науки Высшей цели определяет ее непреходящую ценность. Если целью является нечто преходящее, то и наука исчезает вместе с недолговечным явлением, вместе с временной целью.

Ценность науки каббала

На основании сказанного можно сделать следующие выводы о значимости каббалы:

• Наука каббала, опирающаяся на Высшую силу, имеет для человека неизмеримую ценность, поскольку, занимаясь каббалой, человек познает Высшую силу, управляющую мирозданием.

• Наука каббала вечна, поскольку предметом ее исследования является вечное существование.

• Человек, занимающийся каббалой, приносит неоценимую пользу, поскольку цель науки каббала – в сближении человечества с Высшей управляющей силой.

Причина малочисленности ученых-каббалистов

Для того, чтобы стать ученым-каббалистом, человеку необходимы фундаментальные знания, но их невозможно приобрести обычным изучением материала, как в остальных науках. Прежде всего, начинающему необходимо освоить альтруистический язык Высшего мира, на котором написана вся наука каббала. Начиная заниматься каббалой, многие стремятся сразу охватить всю науку целиком, выносят о Высшем управлении слишком поспешные суждения и оставляют занятия каббалой. В этом – основная причина малочисленности ученых-каббалистов.

Постижение – в усилиях

Существует условие, обязательное для всех наук: для того чтобы стать ученым, необходимо приложить большие усилия. Ведь постигается наука в соответствии с мерой затраченных усилий.

Язык науки

У каждой науки есть свой язык. Основоположники науки определяют предмет науки и объясняют ее суть определенным языком. Отсюда вытекает предназначение языка – служить промежуточным звеном, близким и к сути науки, и к людям, изучающим ее. В языке науки заложены необыкновенные возможности. С его помощью изложение становится точным и лаконичным, а объяснения позволяют более глубоко понять изучаемый материал.

Представители науки

Занимающийся наукой ученый не дорожит материальными благами. Он использует дорогое для него время для исследований, а не для погони за материальным успехом. В обмен на сэкономленное для научных исследований время, он приобретает знания.

Но ученые не в силах противостоять соблазну получения признания общества – наивысшему из земных наслаждений, которые только можно себе представить. Они готовы тратить все свои силы и отказаться от всех иных наслаждений, лишь бы в достаточной мере ощутить общественное признание. К этому наслаждению устремляются даже лучшие представители человечества. Так происходило во всех поколениях.

Представители науки каббала

Условия пренебрежения материальными благами, действующие в любой науке, необходимы и в науке каббала. Однако, в дополнение к этому требованию к настоящим исследователям любой науки, каббала обязывает ученого-каббалиста отказаться и от стремления к получению общественного признания.

Человек совершенно не готов к постижению науки каббала до тех пор, пока признание обществом не обесценится в его глазах. Он будет проводить время в попытках добиться общественного признания и уподобится тратящим время на приобретение материальных благ. Это не позволит ему открыть свое сердце для постижения науки каббала и познания Высшей силы.

Скрытие науки каббала

Каббалисты никогда не стремились к рекламе своей науки, поскольку к изучению каббалы человек приходит только под влиянием внутреннего побуждения. Только тогда он готов пренебречь желаниями тела, материальными благами и признанием общества. Поэтому ученые-каббалисты не раскрывали широким массам методику каббалы как средство развития. Они считали, что раскрывать науку единения с Высшей силой следует только в том случае, если она будет правильно понята и воспринята.

В противном случае, раскрытие науки каббала отнимет у людей способность наслаждаться. Люди перестанут получать наслаждение от телесных удовольствий, богатства, власти и почета, а это является для них вершиной удовлетворения.

Пока общество в целом не пришло к осознанию необходимости и готовности отказаться от вышеперечисленных наслаждений ради обретения связи с Высшей силой, у него нельзя отнимать возможность наслаждаться. Ведь в наслаждениях, в устремлении к ним, человек растет и развивается, пока не достигнет желания к Высшему.

В наше время налицо все признаки того, что общество в целом уже разочаровалось погоней за наслаждениями тела, богатства, власти и почета и внутренне готово к связи с Высшей силой. Поэтому наука каббала раскрывает себя, свою суть и цели широким слоям общества.

ОБЩИЙ ХАРАКТЕР НАУКИ КАББАЛА

Мы постоянно развиваемся, количественно и качественно, пока, в конце концов, не начинаем задаваться вопросом о смысле жизни, о ее корне и цели. Отправившись на поиски ответов, мы раскрываем для себя действительность, находящуюся за порогом восприятия телесных органов чувств. Она проявляется в так называемом духовном сосуде, в намерении ради отдачи, в подобии по свойствам Высшей силе. В этом дополнительном органе чувств каббалисты раскрывают Высшую реальность и рассказывают нам о ней.

Рассказывают не только для того, чтобы мы знали изучаемый материал. Все равно он останется теоретическим. Их цель – приблизить нас к реальному ощущению того, что мы изучаем, к жизни в вечном и совершенном духовном пространстве. Каббалисты передают нам методику исправления, чтобы нам было легче настроить и подготовить себя к восприятию духовной реальности.

От редакции

1. Общий характер науки каббала

Любое понимание (осознание разумом) имеет две составляющие:

• познание материи, то есть природы тел существующей действительности – называется физикой;

• познание формы, абстрагированной от тел, то есть формы самого разума и понимания – называется логикой.

Познание материи

В познании материи иногда можно ограничиться исследованием того, что находится выше природы. Этим занимается наука о том, что находится за рамками природы. В ней выделяют четыре части:

• Познание материи, относящееся к науке о природе и носящее эмпирический характер.

• Познание материи, относящееся к науке о природе и представляющее собой постижение того, что находится за рамками природы.

• Познание материи, относящееся к первичной части, и носящее эмпирический и практический характер.

• Познание материи, относящееся к первичной части, и представляющее собой постижение того, что находится за рамками природы.

Познание формы

Познание формы представляет собой познание Высшей управляющей силы. А познание материи представляет собой познание ступеней развития творения, которые называются «миры» и «парцуфим». Это познание всегда носит эмпирический характер. Сутью науки каббала является раскрытие Высшей управляющей силы, Творца, Его творениям.

Высший принцип науки каббала — «один, единственный, единый»

Один

Понятие «Один» говорит о Самом Творце, в котором все противоположности равны и неотличимы друг от друга. Все Его действия преследуют только одну цель – насладить.

У Творца все совершенно, едино, нет абсолютно никаких противоречий, нет различия в отношении к разным творениям. А единственная Его мысль и единственная цель пронизывают все творение. Мы слишком отличаемся по свойствам, чтобы понять Его.

Единый

В самом Творце все едино, хотя исходящее от Него вызывает в ощущении воспринимающего различные формы в зависимости от свойств воспринимающего. Он – вне всяких изменений, все в Нем абсолютно равнозначно.

Творец един, но только человек своими свойствами извлекает из этого абсолютного единства различные ощущения и таким образом именует Творца. Но, по сути, это не имена Творца, а названия человеческих ощущений.

В Творце так же едины замысел, действие и результат, хотя в нашем мире это совершенно различные категории.

Единственный

«Единственный» – говорит о том, что, хотя он действует во всем творении, проявляя Себя совершенно по-разному в ощущениях воспринимающих Его действия, но одна Его сила (цель, желание) действует во всем творении и она заключает в себе все происходящее.

В таком правильном восприятии действий Творца и состоит вся цель нашего развития.

Познание материи – эмпирическое

Познание материи – это постижение взаимоотношений во всей существующей действительности, форм ее существования и порядка нисхождения от первоначального замысла до этого мира, как сверху вниз, так и снизу вверх. Основной принцип этого познания – постижение причины и следствия происходящего, поскольку это дает полную картину всей науки, подобно тому, как это происходит в естественных науках нашего мира.

Постижение на практике

Природа ступеней познания такова, что в момент постижения ступени человек ощущает необычайную доброту и ни с чем не сравнимое наслаждение. Это происходит вследствие вхождения исследователя в желание Творца.

Творец управляет миром не иначе, как с помощью двух равных сил.

• В момент действия притягивает наслаждением, которое и вынуждает совершать это действие.

• Отдаляет и даже прекращает действие страданиями, которые творение испытывает при его совершении, если не желает, чтобы действие было совершено.

Иногда этот закон отступает, и вместо него действует закон, согласно которому привычка становится второй натурой.

Этот закон целенаправленно воздействует и полностью соблюдается в соответствии со своим предназначением на всех уровнях творения, в том числе, и в роде человеческом. Поэтому управление под его воздействием усложняется, меняясь ежечасно и ежеминутно.

Природа ступеней

Природа ступеней для постигающего такая же, как природа всего живого: закон получения вознаграждения и наказания соблюдается неукоснительно, не может быть нарушен, даже привычка не изменит его.

Две части в исследованиях материи

В исследованиях материи различают две части:
• действительность;
• ее существование (количество и качество, обеспечивающие существование ступеней, способ их постижения: кем и с помощью чего они постигаются).

Чтобы постигающие не задерживались в развитии и не оставались на одной ступени, как это происходит у животных, они ощущают большую горечь в состояниях между ступенями. Случается даже, что постигающие, вспоминая прошлые наслаждения, пытаются вернуться назад.

В духовном нет возврата на предыдущую ступень

Когда постигающие возвращаются назад, то это — другая ступень, а не предыдущая, которая относительно нее называется клипа (нечистая, эгоистическая).

В практическом постижении существуют две части:
• духовное;
• клипа.

Иногда в силу какой-то необходимости, чтобы совершить определенное действие, каббалист возвращается туда, где находятся большие наслаждения. Однако он немедленно выходит оттуда и возвращается на свою ступень. Возвращение в прошлое является в таком случае духовным действием.

Однако в большинстве случаев возвращается в клипу только испугавшийся и имеющий слабое желание человек, пытаясь избежать преодоления горького состояния между ступенями. Он задерживается там, так как не может подняться на высоту желанной вершины.

Способ воздействия через имена

Способ воздействия через имена – это притяжение большого наслаждения, внутренняя сила которого передается вдохновляющемуся этим товарищу и, таким образом, может излечить его или подчинить своему желанию.

2. Использование каббалы в практических целях

Вред от любой чрезмерности

Выше мы разъяснили, что представляет собой практическое постижение:

• то, что желаемо Творцом, побуждает творение к действиям, облачающимся в него светом наслаждения;

• совершение того, что не желаемо Творцом, предотвращается облачающимся в него светом страданий.

Любая чрезмерность вредна в соответствии с правилом: «умножающий имущество – увеличивает заботы». Поэтому существует предел каждому желанию Творца, желающего выполнения множества действий при восхождении человека по ступеням развития. Ведь если бы не существовало предела любому наслаждению, творение оказалось бы увязнувшим в совершении одного действия в течение всей своей жизни, и не поднималось бы выше. Поэтому Высшее управление ограничило это страданиями, являющимися результатом любого чрезмерного наслаждения.

Вознаграждение на животном и на человеческом уровне

Есть наслаждение:

• Близкое, в котором нет понятия надежды, поскольку оно достигается в ближайшее время. Называется вознаграждением чувственным, подходит для любого животного. Получение его гарантировано, застраховано от сбоев. Это вознаграждение соответствует животному уровню.

•Далекое, но «ожидаемое», которого надеются достигнуть позже. Называется вознаграждением в разуме, пригодно только для человека, занимающегося исследованиями, и подвержено срывам. Это вознаграждение соответствует человеческому уровню. Поскольку вознаграждение наступает позже, оно подвержено воздействию помех, которые могут помешать его получению.

Оплата «силой мотивации»

Вознаграждение в разуме и чувственное вознаграждение – это две силы Высшего управления, посредством которых все живое выполняет ту роль, которую возложило на него Высшее управление.

Истинный критерий ученых

Люди подразделяются на множество ступеней по степени их развитости, по мере их отрыва от «животного» уровня и приближения к уровню «человек».

• Человек неразвитый – не может ждать вознаграждения долгое время, он выбирает такую работу, которая оплачивается немедленно, даже если оплата будет меньшей.

• Более развитый человек может проявить терпение и выбрать более высокооплачиваемую работу, оплата за которую производится гораздо позже.

Этим истинным критерием руководствуются ученые-каб-балисты, находящиеся на высокой ступени развития. Они добиваются максимального вознаграждения и готовы отдалить момент его получения.

Величие цели определяет развитие

Многие ученые могут рассчитывать получить истинное наслаждение и достойную награду за свои труды. Однако они оставляют науку, выходят на рынок и продают свои знания.

Но те единицы, которые могут сдержаться от сиюминутной выгоды, продолжают совершенствоваться в науке в соответствии со своими способностями, потому что хотят получить большее вознаграждение. Разумеется, по прошествии времени, их товарищи им завидуют.

Критерием развития поколений является сила сдержанности, позволяющая отдалить момент получения вознаграждения и выбрать более высокую оплату. В таких поколениях умножались созидатели и люди, обладающие высокими постижениями.

В нашем поколении существует наибольшее количество людей, обладающих свойствами подобного рода, работоспособность которых бесконечна, потому что их ощущения в наибольшей степени развиты в сторону сдержанности, как по продолжительности, так и по силе работоспособности.

Возвращающая сила или «сила мотивации»

• Стремление к цели вынуждает все живое не совершать ни одного движения, которое не было бы направлено на получение вознаграждения. Ступени различаются только ощущением вознаграждения соответственно степени развития. Более развитому и чувствительному человеку стремление к цели присуще в наибольшей мере. Поэтому он может приложить максимум усилий.

• Сила, сдерживающая от получения вознаграждения.

Сила мотивации определяется двумя параметрами:

• ощущение величия цели – определяет величину оплаты, когда более чувствительный человек получает более высокое вознаграждение и большую силу мотивации;

• сила сдерживания в течение длительного времени, когда даже для получения более высокой оплаты требуется развитое желание, которое обладает дальновидностью.

Все цикличное развитие человечества представляет собой не что иное, как эти два ощущения:

• ощущение величия цели;

• дальновидность.

С их помощью человек поднимается по ступеням к наивысшей точке своего развития.

Развитие человека сдерживают сильные ощущения наслаждения на каждой ступени. Когда человек испытывает наслаждение, то у него нет видимой причины подниматься на более высокую ступень.

Сила наслаждения и сила разума

Кроме вышеперечисленных сил, каббалисты различают также внутреннюю силу и знание. Хотя она представляет собой одну силу, но ощущающий ее с помощью тела и разума человек, воспринимает ее как две силы:

• в теле – дух спокойствия;

• в мозгу – великий разум.

Тело должно утратить свой дух, когда поднимается для получения знания.

3. СУТЬ И СОСТАВЛЯЮЩИЕ ЧАСТИ НАУКИ КАББАЛА

Необходимо объяснить запрет использования каббалы в прагматических целях – для занятия магией, таинствами, мистицизмом, столь распространенными в мире.

Есть три части в науке каббала:
• познание материи;
• познание формы;
• практическое использование познания.

Люди, занимающиеся каббалой в прагматических целях, возвращаются назад, на те ступени, где находится много наслаждений. Подобное можно наблюдать, когда обладатель сильного желания подавляет того, чье желание слабее и вынуждает его действовать, согласно своему желанию.

Так и люди, постигающие духовные ступени и получающие при этом огромную энергию и внутреннюю силу, могут влиять на мысли окружающих, как бы поглощать их. Точнее, влияние оказывается даже не на мысли, а на желание и внутреннюю силу другого человека. Ведь мысль не может привести в движение даже самого мыслящего, как же она сможет побудить к действию другого человека? Однако желание человека приобретает рисунок мысли обладателя более сильного желания. Человек, обладающий более сильным желанием, воздействует на того, чье желание меньше по сравнению с ним. Психологи ошибочно называют это силой мысли, однако, это – сила желания.

Сила желания очень велика. Она способна породить в другом человеке такие яркие образы, которые, как ему кажется, он сам рисует в своем разуме. Они несравнимо сильнее образов, создаваемых им самим. Ведь к своему воображению он относится критически, и если отвергает его, то оно ослабевает и совершенно не может функционировать.

Тогда как при получении впечатления от другого человека он теряет контроль, и его машина под названием «мозг» абсолютно бездействует. В этом случае у человека никогда не бывает критического отношения. И тот воображаемый образ, который он получил от другого человека, действует в нем вне всякого анализа и контроля, воспринимается как непререкаемое собственное убеждение, опирающееся на прочные знания.

Кроме того, человек может настолько впитать в себя внутреннюю силу другого человека, что в какой-то мере войдет в его ощущения. Он может ощутить его воспоминания, войти с ними в контакт, вычленить из них желаемое. В таком состоянии человек отрицает существование Высших сил.

Хотя люди, подавляющие желание других людей, получают лишь отходы, они все же продолжают питаться этой негативной энергией.

Три составляющие скрытия науки

Есть три составляющие скрытия науки каббала:

• Нет необходимости – когда ученик заботится о чистоте знания, не причиняя себе вреда. Ведь небрежное отношение к каббале разрушает человека, а лишнее раскрытие привлекает пустых людей. Учеником становится человек, отдалившийся от пустых людей.

• Невозможность – условие приема в ученики, чтобы отточил свой язык. Ведь можно прийти к ошибкам в раскрытии и при этом хорошо выглядеть в глазах масс.

• Уважение к Творцу – наиболее строгое условие. Многие не смогли его выполнить. Все колдуны и прорицатели, когда-либо существовавшие в мире, произошли только из учеников, которые не соответствовали этим требованиям, пошли по ошибочному пути и начали обучать первых попавшихся людей, не проверяя, пригодны ли они для этого. Так науку каббала стали использовать для достижения прагматических целей – удовлетворения вожделения и достижения почестей, торгуя ею на рынке. Это называется «прагматической каббалой».

МАТЕРИЯ И ФОРМА В НАУКЕ КАББАЛА

Что такое материя и что такое форма? Чем отличается форма, облаченная в материю, от формы, которая абстрагирована от материи? Для нас это философские категории, однако каббала проводит между ними четкое разделение. Изучению поддается материя и облаченная в нее форма. Все остальное не имеет под собой никакого реального, основания, не может быть проверено экспериментально и лишь уводит нас от истины. Наука каббала отвергает любые умозрительные построения, поскольку они не могут служить основой исследования и постижения мира.

От редакции

Наука в целом подразделяется на две части: первая называется познанием материи, а вторая – познанием формы. Это означает, что в окружающей нас действительности нет ничего, в чем нельзя было бы распознать материю и форму.

Так, материя стола – это дерево, которая имеет форму стола. Материя, то есть дерево, является носителем формы, представляющей собой стол. Так же для понятия «лжец» материя – это человек, а форма – лжец. Так что, материя – человек, является носителем формы – лжи. И так во всем.

Подобно этому, любая наука, исследующая действительность, также подразделяется на две части: исследование материи и исследование формы. Та часть науки, которая изучает свойства материи, существующей в действительности (как чистую материю без ее формы, так и материю с ее формой вместе), относится к «познанию материи». Это познание имеет эмпирическую основу, то есть базируется на доказательствах и сопоставлениях результатов практических опытов, которые принимаются ею за достоверную основу для истинных выводов.

Другая часть науки рассматривает только форму, абстрагированную от материи и не имеющую с ней никакой связи. Например, формы «правда» и «ложь» абстрагируются от материи, то есть от людей, являющихся их носителями, и рассматривается только значимость или несущественность самих этих форм в чистом виде, не воплощенных в какой бы то ни было материи. Это называется «познанием формы».

Познание это не имеет эмпирической основы, поскольку такие абстрактные формы не находят своего выражения на практике, подтвержденной опытом, потому что находятся за пределами реальной действительности. Ведь абстрактная форма является лишь плодом воображения. То есть, только воображение может нарисовать ее, несмотря на то что она не существует в реальной действительности.

В соответствии с этим, каждое научное познание подобного рода базируется исключительно на теоретической основе, то есть не подтверждается практическими опытами, а является лишь плодом теоретического дискуссионного исследования. К этой категории относится вся высокая философия. И потому большая часть современных ученых перестала заниматься ею, так как недовольна дискуссиями, построенными на теоретических изысканиях, которые, по их мнению, не являются надежной основой, поскольку надежной они считают только эмпирическую основу.

Наука каббала также подразделяется на две вышеупомянутые части: познание материи и познание формы. Однако, она существенно превосходит классическую науку, в ней даже познание формы целиком построено на научном исследовании практического восприятия, то есть на основе практического опыта.

СРАВНИТЕЛЬНЫЙ АНАЛИЗ КАББАЛЫ И ФИЛОСОФИИ

Философия исследует суть человека и его роль в мире. Однако в действительности она оперирует абстракциями, пытаясь проанализировать то, что лежит уровнем выше и не доступно нашему восприятию. Пока мы не поднялись на более высокую ступень развития, у нас нет возможности понять ее.

Философские построения не раз запутывали человечество, вызывая многочисленные проблемы и страдания.

Философия – плод нашего разума и воображения, а потому неудивительно, что вот уже несколько десятков лет она находится на периферии человеческой деятельности, постепенно «растворяясь» в научных дисциплинах.

Сегодня философия идет рука об руку с науками. В ее область вторгаются аспекты технологии, синергетики, глобализации, и философы начинают обсуждать сферы, не укладывающиеся в их традиционные рамки. Но, тем не менее, философия все еще претендует на истину в вопросе о сути и цели нашей жизни.

Человечество вынуждено сохранять и развивать то, что имеется. Человек в этом мире неспособен на большее. Для подлинного прорыва ему нужна наука, основанная на Высших законах и предоставляющая реальные средства для улучшения нашей жизни, средства для подъема человечества на духовный уровень.

От редакции

ОПРЕДЕЛЕНИЕ ДУХОВНОГО

Философия считает, что материальное является порождением духовного, душа порождает тело. Проблематичность такого утверждения в том, что в таком случае обязательно наличие связи между духовным и материальным.

Наука каббала утверждает, что духовное не имеет никакого отношения к материальному. Нет никакого пути или способа, который бы дал духовному возможность иметь контакт с материальным и каким-то образом приводить его в движение.

Кроме того, каббала, как любая наука, считает, что обсуждать можно только то, что доступно ощущению и исследованию. И поэтому даже дать определение духовному – означает ограничить и отделить духовное от материального. Тогда необходимо прежде ощутить и постичь духовное, а для этого необходима наука каббала, потому что она позволяет ощутить Высший мир.

СУТЬ ВЫСШЕЙ УПРАВЛЯЮЩЕЙ СИЛЫ (ТВОРЦА)

Наука каббала совершенно не занимается сутью самой Высшей силы и не пытается формулировать ее законы. Каббала определяет себя как экспериментальную науку и то, что не постигает, о том не говорит, в том числе, не отрицает того, что не постигается. Ведь определение отсутствующего явления имеет не меньшую ценность, чем определение существующего. Ведь, если посмотришь на какую-то сущность издали и познаешь в ней все отсутствующие компоненты, то есть все то, чего нет, это также будет считаться свидетельством и определенным осознанием, так как, если бы эта сущность находилась действительно далеко, нельзя было бы различить в ней даже отсутствующее.

Поэтому основное положение в науке каббала гласит: «Непостигаемое не можем назвать по имени», где под именем имеется в виду начало какого-то постижения. А постигаемый внутри сосуда души Высший свет, ощущение Высшей управляющей силы (Творца), ее действий, излагается в каббале в не меньших подробностях и деталях анализа и эксперимента, чем в описании материальных исследований.

ДУХОВНОЕ – ЭТО СИЛА, НЕ ОБЛАЧЕННАЯ В ТЕЛО

Каббала определяет «духовное» как не имеющее никакой связи со временем, пространством, материей и представляющее собой силу, не облаченную в тело, силу без тела.

ДУХОВНЫЙ СОСУД НАЗЫВАЕТСЯ СИЛОЙ

Когда речь идет о силе в духовном, говорится не о самом Высшем свете как таковом. Ведь свет находится вне сосуда – органа ощущения и постижения, а потому непостигаем (исходит из сути Творца и равен сути Творца). То есть, мы неспособны понять и постичь Высший свет, чтобы дать ему название и определение, поскольку название «свет» метафорично и не является истинным. Поэтому «сила» без тела подразумевает собой «духовный сосуд». Давая определение свету, каббалист говорит не о сути света, а выражает реакцию сосуда, его впечатление от встречи со светом в себе.

СОСУД И СВЕТ

Свет, то есть впечатление сосуда от света, можно постичь, при этом мы постигаем одновременно и материю, и форму, так как впечатление – это форма, а сила – это материя. Однако, порождаемое при этом в сосуде чувство любви определяется как «форма без материи». То есть, если мы абстрагируем любовь от подарка, как будто она никогда и не была облачена в какой-то конкретный подарок, и представляет собой лишь абстрактное название – любовь Высшей управляющей силы (Творца), – тогда она определяется как «форма». А ее обретение называется «получением формы». И это является конкретным исследованием, так как дух этой любви действительно остается в постижении совершенно абстрагированным от подарка понятием, то есть сутью света.

МАТЕРИЯ И ФОРМА В КАББАЛЕ

Несмотря на то что ощущение сосудом любви является результатом подарка, оно неоценимо важнее самого подарка, поскольку оценивается величием дарящего, а не ценностью дара. То есть, именно любовь и проявленное внимание придают этому состоянию бесконечную ценность и значимость. А потому любовь совершенно абстрагируется от материи, являющейся светом и подарком. Так что остается только постижение любви, а подарок забывается и будто стирается из сердца. Соответственно, эта часть науки каббала носит название постижение «формы» и является наиболее важной ее частью.

МИРЫ АЦИЛУТ, БРИЯ, ЕЦИРА, АСИЯ

Каббалисты различают четыре ступени любви, подобные ступеням любви в нашем мире: в момент получения подарка человек еще не считает, что дарящий любит его, тем более, если дарящий – важная персона, выше статуса человека, получающего подарок. Однако при увеличении количества подарков и постоянном их поступлении ощущается, что даже важную персону можно воспринимать как истинно любящего и равного. Ведь закон любви гласит, что любящие должны чувствовать равенство между собой.

В соответствии с этим в науке каббала определяются четыре ступени любви:

1. Дарение подарка называется мир Асия.

2. Увеличение числа подарков называется мир Ецира.

3. Раскрытие сути любви называется мир Брия. Здесь начинается изучение формы, так как на этой стадии любовь отделилась от подарка: свет удаляется из мира Ецира, и любовь остается без света, без своих подарков.

4. После окончательного отделения формы от материи, находясь в состоянии тьмы, человек обретает силы, чтобы подняться на ступень мира Ацилут, на которой возвращается ощущение формы, которая воплощается в материю, то есть свет и любовь ощущаются вместе.

Источник души

Все духовное воспринимается нами как сила, отделенная от тела, и поэтому не имеет никакого материального образа. Духовное является отдельным свойством и полностью отделено от материального мира. Но если у духовного нет никакого контакта с материальным, каким же образом оно может породить материальное и привести его в движение?

Сила – материя

Сила сама по себе является настоящей материей, не меньше, чем вся остальная материя реального мира. Несмотря на то, что она не обладает образом, приемлемым для восприятия человеческими органами чувств, это не понижает ее ценности.

Возьмем для примера кислород, который входит в состав большинства материалов в мире. Бутылка с чистым кислородом, не взаимодействующим с другим материалом, выглядит пустой. Поскольку кислород находится в газообразном состоянии, его невозможно уловить, он невидим для глаза, не имеет запаха и вкуса, нельзя воздействовать на него руками. Так же ведет себя и водород.

Но если соединить эти два вещества, они немедленно превратятся в жидкость – воду, пригодную для питья. А если добавить эту воду в негашеную известь, то вода немедленно впитается в известь, и жидкость станет твердым веществом, как и сама известь. Таким образом, химические элементы – кислород и водород, которые совершенно невозможно ощутить, превращаются в твердое вещество.

То же самое можно сказать и о силах, действующих в природе. Обычно они не считаются материей, потому что не подлежат познанию через ощущения. Но с другой стороны, мы видим, что ощущаемая реальность – твердые и жидкие тела, безусловно, постижимые в нашем реальном мире, при нагревании могут превращаться в газ, а охлажденный до определенной температуры газ, может вновь стать твердым веществом.

Отсюда ясно, что все ощущаемые картины происходят из основ, которые невозможно ощутить, и которые не считаются материей. А потому все зафиксированные в нашем сознании знакомые картины, с помощью которых мы определяем материю, непостоянны и не существуют сами по себе. Их форма является производной от различных факторов, например, от холода и тепла.

Итак, основа материи – это сила, заключенная в ней. Однако силы все еще не проявляются относительно нас сами по себе, как химические элементы. Возможно, когда-нибудь они раскроются нам как таковые.

Сила, равная в духовном и материальном

С одной стороны, все названия, которые мы дали материальным объектам, исходя из материальных картин, являются абсолютно выдуманными, поскольку вытекают из нашего восприятия в пяти органах чувств. А потому эти названия непостоянны и не существуют сами по себе.

Но с другой стороны, любое определение силы, которое мы даем, отрицая ее связь с материей, также надуманно. И до тех пор, пока наука не разовьется до своей совершенной формы, мы должны считаться только с конкретной действительностью.

Другими словами, все материальные действия, которые мы видим и ощущаем, мы должны рассматривать в связи с совершающим их человеком, и понимать при этом, что он, так же как и действие, в основе своей состоит из материи. Иначе невозможно было бы постичь это действие.

СВЕТА И СОСУДЫ

Поскольку каббала – реальная наука, то она ведет реальное постижение мироздания, когда невозможно опровергнуть факт никаким трудным вопросом.

Все мироздание состоит из сосуда (желания) и света (наслаждения). Различие между сосудом и светом проявляется в первом же творении, отделившемся от Высшей силы. Первое творение – более наполненное и более тонкое по сравнению с любым, следующим за ним. Приятное наполнение оно получает от сути Высшей силы, желающей наполнить его наслаждением.

Основой измерения наслаждения является желание его получить. Тот факт, что желание жаждет получить больше, ощущается им при наполнении как большее наслаждение. Поэтому мы различаем в первом творении – «желании получать» – две категории:

1. Суть получающего – желание получать, тело творения, основа его сути, сосуд получения блага.

2. Суть получаемого – суть получаемого блага, свет Творца, всегда исходящий к творению.

Все мироздание и любая его часть непременно состоит из двух качеств – желания получать и желания насладить, проникающих одно в другое. Эти два качества являются составными, потому что желания получать, обязательно находящегося в творении, не было в сути Высшей силы. И потому оно названо творением – тем, чего нет в Высшей силе. А получаемое изобилие непременно является частью сути Высшей силы. И поэтому существует огромное расстояние между вновь созданным телом и получаемым изобилием, подобным сути Высшей силы.

Как духовное может породить материальное

На первый взгляд, трудно понять, как духовное может порождать и поддерживать нечто материальное. Но это трудно понять, только если рассматривать духовное как никоим образом не связанное с материальным.

А если взять за основу мнение каббалистов, постигающих, что любое качество духовного похоже на качество материального, то выходит, что они близки между собой, и нет между ними различий, кроме как в материи: у духовного – материя духовная, а у материального – материя вещественная. Однако, все качества, действующие в духовной материи, действуют и в материи вещественной.

В понимании связи духовного и материального есть три ошибочных утверждения:

1. Сила разумной мысли в человеке – это бессмертная душа, суть человека.

2. Тело – это продолжение и результат души.

3. Духовные сущности являются простыми и несоставными.

Эти ошибочные предположения разрушены материалистической психологией. В наше время человек, желающий постигнуть Высшую управляющую силу, может осуществить это, приложив усилия в использовании методики ее постижения – науки каббала.

СУТЬ НАУКИ КАББАЛА И ЕЕ ЦЕЛЬ

На каком-то этапе, когда жизнь проявляет все меньше дружелюбия и порождает многочисленные претензии к происходящему, у человека возникают вопросы: «Для чего я живу?», «Почему все так устроено?» Тогда начинаются поиски средства, которое выведет нас из тупика. Если человек достаточно созрел в своем стремлении найти выход, тогда, не отвлекаясь на временные решения, он открывает для себя науку каббала — методику, которая объясняет ему цель творения и показывает, как ее достичь, поднявшись в духовную реальность. Эта потребность к постижению духовного мира заложена глубоко внутри нас, но проявляется она только после того, как мы отчаиваемся во всем остальном.

От редакции

Неверное понимание сущности каббалы

Главная причина неправильного понимания сущности науки каббала и ее цели исходит из неверных ответов на три вопроса:

1. В чем суть науки каббала?

2. При помощи каббалы человек достигает цели в этом мире или в будущем мире?

3. Наука каббала служит на благо человеку или для блага Высшей управляющей силы?

Принято считать, что:

1. Каббала занимается некими тайными манипуляциями.

2. Награда или наказание ожидают человека после смерти, в будущем мире.

3. Наука каббала предназначена для пользы человека.

Высшая управляющая сила

Высшая управляющая сила, обычно называемая «Творец», характеризуется каббалистами как Абсолютное добро. Таковой они постигают Ее на себе. Невозможно, чтобы Высшая управляющая сила причинила кому-либо какое-то зло. Этот факт воспринимается постигающими эту силу каббалистами как главный закон мироздания.

Здравый смысл подсказывает нам, что основанием для совершения всех плохих поступков является эгоизм, желание получать наслаждение для себя (или желание получать). Именно страстная погоня за собственным благополучием, вызванная желанием получать, является причиной причинения зла ближнему, так как желание получать стремится к наполнению себя. Если бы творение не находило никакого удовлетворения в собственном благополучии, то не было бы никого в мире, кто бы причинял зло ближнему. А если подчас мы встречаем какое-то создание, причиняющее зло окружающим не из-за желания получать, то оно совершает это лишь в силу привычки, которая изначально была порождена желанием получать. И эта привычка является сейчас единственной причиной его поступка.

Поскольку Высшая управляющая сила воспринимается нами как совершенная и не нуждающаяся ни в чем для реализации своего совершенства, то ясно, что в ней нет никакого желания получать, а потому в ней отсутствует всякое основание для причинения вреда кому-либо. Наоборот, она обладает желанием отдавать – желанием творить добро своим творениям.

Все хорошие или плохие ощущения, которые испытывают творения, посылаются им Высшей управляющей силой, обладающей единственным свойством – желанием отдавать, творить добро своим творениям. Из главного закона мироздания следует, что отношение Высшей управляющей силы к творениям абсолютно доброе и что все творения получают от Нее только благо и только для блага она создала их.

Поэтому каббалисты дали создавшей нас и управляющей нами Высшей силе имя «Абсолютное добро».

ВЫСШЕЕ УПРАВЛЕНИЕ – ЦЕЛЕНАПРАВЛЕННОЕ

Посмотрим на настоящую действительность, управляемую и контролируемую Высшей силой, и на то, как она творит одно лишь добро.

Взяв любое, даже самое малое создание, принадлежащее к одному из четырех видов – неживому, растительному, животному, говорящему, мы увидим, что как отдельная особь, так и весь ее вид в целом, ступенчато и целенаправленно управляются в своем причинно-следственном развитии, подобно плоду на дереве, управление которым преследует благую конечную цель – созревание.

Ученые-ботаники смогут объяснить, сколько состояний проходит плод с момента появления до достижения своей цели – окончательного созревания. Но все состояния, предшествующие последнему, не только не содержат даже намека на его конечное состояние – красивое и сладкое, а наоборот, показывают противоположность его конечной формы промежуточному состоянию. Чем более сладок плод в конце, тем он более горек и безобразен на предыдущих стадиях своего развития.

Еще более поразительны различия промежуточных и конечных форм развития на животном и говорящем (человек) уровне. Разум животного мал и не претерпевает значительных изменений в процессе развития по завершении роста животного. В то время как в человеке происходят огромные изменения, его разум многократно увеличивается в процессе развития человека.

Например, теленок-однодневка уже называется быком, так как обладает силой, чтобы стоять на ногах и ходить, и разумом, чтобы избегать опасностей, встречающихся на его пути. В то же время, человек одного дня от роду подобен существу, лишенному чувств. И если бы некто, незнакомый с реалиями этого мира, глядя на этих двух новорожденных, попытался описать ситуацию, то, конечно же, о младенце сказал бы, что он не преуспеет в достижении своей цели, а о теленке сказал бы, что родился будущий великий герой. То есть, если судить по степени развития разума теленка и новорожденного человека, то последний – несмышленое и ничего не ощущающее существо.

Таким образом, мы воспринимаем Высшее управление действительностью как форму целенаправленного управления, которая не принимает в расчет уровень развития творения. Наоборот, оно как будто пытается специально обмануть нас, отвлечь от понимания цели существования, всегда показывая состояния, обратные своему окончательному виду.

Поэтому мы говорим: «Нет человека, более умного, чем опытный». Ибо только человек, приобретший опыт, то есть имеющий возможность наблюдать творение на всех стадиях развития, вплоть до конечной, совершенной стадии, может не бояться всех искаженных картин, в которых находится творение, а только верить в красоту и совершенство завершенного творения. Наука каббала объясняет смысл такого ступенчатого развития, обязательного для каждого творения.

Таким образом, детальное выяснение путей Высшего управления в нашем мире указывает на то, что это управление может быть только целенаправленным. Причем, его хорошее отношение к творению вообще не ощущается, прежде чем оно не достигнет своей законченной формы, окончательной точки развития. А до тех пор, напротив, развивающееся творение всегда намеренно предстает перед наблюдателем во внешне испорченном виде. Высшая управляющая сила всегда творит для творений одно лишь добро. Это добро является целенаправленным управлением.

ДВА ПУТИ РАЗВИТИЯ: ПУТЬ СТРАДАНИЙ И ПУТЬ КАББАЛЫ

Из вышеприведенного примера следует, что Высшая управляющая сила имеет свойство абсолютного добра и управляет нами целенаправленно, без всякой примеси зла. Это означает, что целенаправленность ее управления обязывает нас принять порядок прохождения различных состояний, связанных законом причины и следствия, пока мы не достигнем состояния, в котором сможем получить желаемое благо, тем самым достигнув цели нашего создания, подобно великолепному плоду в конце его созревания. Этот результат обеспечен каждому человеку.

Замысел Высшей управляющей силы состоит в том, чтобы привести нас к подобию ее свойству – абсолютному добру. Этой целью продиктованы все Ее действия по отношению к нам. Для достижения цели нам уготовлены два пути развития:

1. Путь страданий. Он представляет собой порядок развития, следуя которому творение, исходя из своей природы, переходит от одного состояния к другому, связанному причинно-следственной зависимостью с предыдущим состоянием. Так мы очень медленно развиваемся до осознания необходимости выбора добра, отрицания зла и достижения целенаправленной связи, желательной управляющей силе. Это долгий путь, полный страданий и боли.

2. Путь каббалы. Он легок, приятен и способен сделать нас достойными нашего предназначения за короткое время и без страданий.

В любом случае, наша конечная цель заранее задана и обязательна. Нет никакой возможности уклониться от нее, ибо Высшая сила твердо управляет нами двумя способами: путем страданий и путем каббалы. В окружающей нас действительности мы видим, что управление нами осуществляется двумя путями одновременно.

СУТЬ КАББАЛЫ – РАЗВИТЬ В НАС ЧУВСТВО ОСОЗНАНИЯ ЗЛА

Целью всех действий человека в устремлении к постижению Высшего мира является, в итоге, осознание зла, находящегося в нем. Человек обнаруживает, что именно его природный эгоизм стоит на его пути в Высший мир. Все отличие между творениями заключается лишь в мере осознании зла. Более развитое создание осознает большую степень зла в себе и потому различает и отталкивает от себя зло в большей степени, а неразвитое создание ощущает в себе маленькую степень зла, и потому отталкивает от себя зло в меньшей степени. Оно оставляет его в себе, так как совсем не ощущает его как зло для себя.

Основа всего зла – любовь к самому себе, называемая эгоизмом. Это свойство противоположно Высшей силе, единственное свойство которой – желание отдавать.

Суть наслаждения заключается в степени подобия человека свойству Высшей силы. Суть страданий и нетерпения заключается в различии со свойством Высшей силы. Поэтому сам эгоизм причиняет нам боль осознанием отличия от свойств Высшей силы.

Отвращение к эгоизму проявляется в разной степени и свойственно не каждой душе. Неразвитый человек не считает эгоизм плохим качеством и поэтому открыто пользуется им без всякого стыда. Более развитый уже ощущает некоторую степень своего эгоизма как зло, а потому стесняется публично им пользоваться и делает это скрытно. Еще более развитый определяет эгоизм как мерзость настолько, что не может терпеть его в себе, и потому совершенно изгоняет его в соответствии со степенью своего осознания, поскольку больше не желает и не может получать удовольствие за счет других.

Тогда в человеке начинают пробуждаться искры любви к ближнему, называемые «альтруизм», который является основой добра. Это свойство тоже развивается ступенчато: вначале в человеке развивается чувство любви к близким и желание заботиться о них. Когда свойство альтруизма развивается в нем еще больше, тогда вырастает в нем степень отдачи всем, кто окружает его – любовь к соседям, к своему народу, ко всему человечеству.

РАЗВИТИЕ ОСОЗНАННОЕ И НЕОСОЗНАННОЕ

Две силы толкают нас и побуждают подниматься, восходя по ступеням лестницы, пока мы не достигнем ее вершины, конечной цели – равенства наших свойств с управляющей силой.

1. Воздействие первой силы мы не осознаем, оно происходит без нашего выбора. Эта сила толкает нас сзади. Каббалисты назвали ее «путь страданий».

Отсюда берут свои начала системы воспитания и этики, которые основываются на экспериментальном познании, то есть на проверке с помощью практического разума. Вся суть этой системы представляет собой не что иное как оценку суммы вреда, нанесенного проросшими зернами эгоизма. Эти опытные данные попали к нам случайным образом, без нашего ведома, не по нашему выбору, но они достаточно убедительно служат своей цели, так как степень зла, проявляющегося и увеличивающегося в наших ощущениях, заставляет нас избегать его в той мере, в которой мы осознаем его вред. Тем самым мы достигаем более высокой ступени духовной лестницы.

2. Воздействие второй силы мы осознаем и принимаем его осознанно, по своему свободному выбору. Эта сила влечет нас спереди, каббалисты называют ее «путь каббалы». Следуя ей и выполняя все советы каббалистов с намерением сравняться свойствами с Вышей силой, мы с огромной скоростью развиваем в себе осознание зла и выигрываем дважды:

Во-первых, мы не должны ждать, пока страдания начнут подталкивать нас сзади, и мы с помощью накопленного жизненного опыта выявим зло нашей природы. Устремление к подобию Высшей силе развивает в нас такое же осознание зла без предварительных страданий.

На первом этапе своего устремления к подобию Высшей силе мы ощущаем чистоту и сладость приобщения к ней, а с другой стороны, в нас развивается осознание низменности себялюбия. Зло раскрывается в нас поэтапно на фоне ощущения наслаждения и покоя, возникающего вследствие нашего подобия Высшей силе.

Во-вторых, мы выигрываем время, так как действуем осознанно, и в наших силах сделать больше, чтобы ускорить свое исправление до подобия Высшей силе.

НАУКА КАББАЛА ПРЕДНАЗНАЧЕНА ДЛЯ ПОЛЬЗЫ ПРИМЕНЯЮЩЕГО ЕЕ

Отличие каббалистической методики исправления человека от различных методик воспитания – в их цели. Иначе говоря, разница в том, чему должен соответствовать исправленный человек: стандартам общества или Высшей силе. Этим же каббала, как духовная методика, отличается от земной этики.

Цель этики – счастье общества в понимании практического разума, опирающегося на жизненный опыт. Эта цель не обещает пытающемуся ее достичь человеку никакой выгоды сверх рамок, ограниченных природой. Такая цель не является непреложной. Ведь невозможно доказать человеку, что для него же будет лучше, если он поступится чем-то на пользу общества.

В отличие от этики каббалистическая методика развития обещает счастье каждому, кто ее применяет.

Ведь человек, постигший любовь к ближнему по закону равенства свойств, находится в слиянии с Высшей силой. Он выходит из своего узкого мира, полного страданий, в широкий и вечный мир отдачи, к породившей его Высшей силе.

Этика основана на том, чтобы нравиться людям. Она опирается на вознаграждение за труды: человек привыкает к такой работе и уже не может нравственно расти, так как получает от окружающих хорошую оплату за свои добрые дела.

Человек, занимающийся каббалой ради отдачи Высшей силе, выполняя подобные Ей действия без получения какого-либо вознаграждения, действительно, нравственно растет. Ведь он не получает никакой оплаты на своем пути, по крупицам собирая необходимое для оплаты за обретение другой природы – отдачи ближнему без всякого получения для себя, кроме получения самого необходимого для поддержания собственного существования. Только так человек действительно освобождается от природного эгоизма и всех запретов Природы. Когда ему становится отвратительно любое получение для себя, когда душа его свободна от всех лишних и мелких удовольствий тела, когда он не стремится получить богатство, уважение, власть, тогда человек свободно обитает в мире Высшей силы. Тогда гарантировано, что ему никогда не будут грозить никакие неприятности и не будет причинен никакой ущерб. Ведь весь вред, ощущаемый человеком, приходит к нему лишь со стороны эгоизма.

Очевидно, что наука каббала служит применяющему ее человеку, и не несет никакой пользы созданиям, не использующим ее. Даже если все действия человека служат его исправлению – это лишь средство достижения цели тождественности Высшей силе.

ТЕЛО И ДУША

Обсуждение этой темы постоянно приводит к ложным философским измышлениям спекуляциям. Любые представления, оторванные от истинного ощущения, являются абстрактными. И все же мы можем затронуть этот вопрос, чтобы хоть немного «подкорректировать» себя в сторону верного восприятия. Бааль Сулам дает нам верные нефилософские внутренние определения, благодаря которым можно уловить момент истины еще до того, как мы достигнем ее.

От редакции

Три теории тела и души

Все распространенные теории тела и души можно объединить в три нижеследующие теории.

1. Теория веры

Теория веры говорит, что нет ничего, кроме души или духа. По мнению сторонников этой теории, существуют духовные сущности, отделенные друг от друга в зависимости от их качеств, называемые «души людей». Душа обладает самостоятельно существующей реальностью, прежде чем спускается в материальный мир и воплощается в тело человека. Смерть физического тела не влияет на душу, потому что она духовна, и является простой сущностью. По мнению сторонников этой теории, смерть – это не более чем разделение между основами, из которых состоит сущность. И поэтому душа относится к материальному телу, являющемуся конструкцией из неких основ, каждый раз разделяемых смертью тела.

Душа, как духовное образование, представляет собой простую сущность, в которой нет составляющих, и поэтому она не может разделиться так, чтобы это повлияло на ее строение. В соответствии с этим, душа бессмертна и существует вечно. В соответствии с представлением сторонников этой теории, тело является неким одеянием для души – духовной сущности. Душа облачается в тело и через него проявляет свои силы, качества и различные навыки.

Таким образом, душа дает жизнь телу, приводит его в движение и предохраняет от любых повреждений. Само по себе тело не имеет жизни, в нем нет ничего, кроме мертвой материи, в виде которой оно и предстает, когда душа покидает его. А все признаки жизни, которые наблюдаются в теле человека, являются лишь проявлением сил души.

2. Теория дуализма

Этой теории придерживаются апологеты двойственности. По их мнению, тело является совершенным созданием. Оно живет, питается, в мере необходимости заботится о продолжении своего существования и нисколько не нуждается в помощи какой бы то ни было духовной сущности.

Однако, тело отнюдь не считается сутью человека. Основу сути человека представляет разумная душа, которая является духовной сущностью, что перекликается с мнением последователей теории веры.

Расхождения в этих двух теориях касаются лишь определения тела. Современная наука показывает, что все необходимые жизненные потребности заложены природой в самом теле, и это не оставляет места для деятельности души внутри тела в их духовном виде, ограничивая ее функцию лишь навыками и хорошими качествами.

Таким образом, сторонники дуализма верят в обе теории одновременно, но при этом утверждают, что душа является первопричиной тела, то есть тело, по их мнению, представляет собой порождение и продолжение души.

3. Теория отрицания

Теории отрицания придерживаются исследователи, отрицающие наличие в теле некой духовной реальности и признающие только его материальность. Согласно их утверждениям, разум человека также является производным от тела.

Сторонники теории отрицания представляют тело подобным исправной электрической машине с проводами, протянувшимися от тела к мозгу. Весь механизм приводится в действие вследствие контакта организма с внешними раздражителями и управляется посредством обработки ощущений тела «боль» или «наслаждение» мозгом, который дает команду, как отреагировать на внешнее воздействие определенному органу. Все управление осуществляется с целью отдалять организм от источника боли и приближать его к источнику наслаждения посредством нервов-проводов и присоединенных к ним жил.

Как утверждают сторонники теории отрицания, именно таким образом в человеке происходит осмысление и вырабатывается реакция на любые жизненные ситуации. А наше ощущение разума и логики мозгом подобно снимку или отпечатку процесса, происходящего в организме. Ощущение это является неоспоримым преимуществом человека, и становится возможным благодаря его развитости по сравнению с представителями животного мира. Таким образом, по мнению сторонников этой теории, разум и его деятельность есть не что иное, как результат процессов, происходящих с организмом.

С теорией отрицания соглашается и часть сторонников теории дуализма. Но они все же добавляют к модели теории отрицания некую вечную духовную сущность, называемую ими «душа». По их утверждениям, душа является сутью человека и облачается в тело-оболочку.

Таковы, в общем виде, теории с помощью которых наука описывает понятия «тела» и «душа».

ТЕЛО И ДУША КАК НАУЧНЫЕ ПОНЯТИЯ В НАУКЕ КАББАЛА

Каббала призвана раскрыть изучающим ее людям Высший мир, причем не менее явственно и достоверно, чем земные естественные науки раскрывают человеку наш мир. Все знания о Высшем мире ученые-каббалисты получают в результате непосредственных опытов и исследований на себе как на материале. Поэтому в науке каббала нет ни одного слова, которое имело бы теоретическую основу. Все ее положения являются исключительно результатом практического постижения.

Безусловно, в соответствии со своей природой, человек подвержен сомнениям. Любое заключение, которое человеческий разум определяет как очевидное, по прошествии времени подвергается сомнению. Это приводит к теоретизированию, и в отношении прошлых фактов дается другое заключение, которое на некоторое время считается непреложным.

Если человек обладает абстрактным мышлением, он ходит по этому кругу всю свою жизнь. Очевидность вчерашних выводов становится сомнительной сегодня, а уверенность в истинности сегодняшних знаний обернется сомнениями завтра.

Таким образом, невозможно прийти к уверенному умозаключению об абсолютной очевидности больше, чем «на сегодняшний день».

ОТКРЫТОЕ И СКРЫТОЕ

Современная наука уже пришла к пониманию того, что в окружающей нас действительности нет ничего абсолютно очевидного. Каббала же всегда запрещала теоретизирование и использование теоретических выводов даже на уровне предположений. Ученые-каббалисты разделяют науку на две части: открытую и скрытую.

Открытая часть науки включает все, что мы понимаем при простом осознании, когда изучение строится на практической основе, без какого-либо теоретизирования, исходя только из практических, экспериментальных данных и следующих из этого выводов.

Скрытая часть науки включает знания, постигнутые нами самими или полученные от авторитетных источников, но в мере, недостаточной для анализа с позиций здравого смысла и простого осознания. Эта часть знаний временно принимается как «простая вера» и ни в коем случае не исследуется, поскольку в этом случае исследование будет строиться не на практической основе, а на теоретических измышлениях.

Однако термины «открытая» и «скрытая» части науки указывают не на определенные виды знаний, а на осознание человека. Те знания, которые человек раскрыл в реальной практике, называются «открытыми». Знания же, которые еще находятся за пределами уровня познания человека, определяются как «скрытые».

Из вышесказанного следует, что ни в одном поколении никогда не существовало человека, который не имел бы этих двух частей знания – открытого и скрытого. Открытую часть знаний было разрешено изучать и исследовать, поскольку для этого существовала реальная основа. А в отношении скрытой от человека части знаний, всегда запрещались даже попытки ее исследования, потому что в ней человек не имеет никакой реальной основы для истинного исследования.

Запрет на использование обычных наук

Мы вправе использовать лишь те знания, которые были практически подтверждены, то есть в реальности и истинности которых не может возникнуть никакого сомнения.

По этой причине неприемлемы выводы о понятиях «души и тела», сделанные на основе трех вышеуказанных теорий, поскольку они исходят из религиозных рассуждений. Действительно научные знания о душе и теле могут быть получены только при использовании методики, предоставляемой наукой каббала. Поскольку они приобретаются опытным путем и подтверждаются практикой, то не приходится сомневаться в их достоверности. Такие знания невозможно получить каким-то иным, «духовным» образом.

Учитывая вышеизложенное, можно в определенной степени использовать только третью теорию, занимающуюся исключительно вопросами тела, и лишь те данные, которые доказаны опытом и по поводу которых нет никаких сомнений. Использование общих логических объяснений и любых теорий каббалой запрещены.

Критика третьей теории — теории отрицания

Теория отрицания чужда духу образованного человека, поскольку игнорирует личность и представляет человека в виде машины, приводимой в действие посредством внешних сил. Из нее следует, что у человека нет никакого свободного выбора в своих желаниях, он находится под полным контролем сил природы, все действия совершает по принуждению и не получает ни вознаграждения, ни наказания за свои поступки, поскольку закон вознаграждения и наказания распространяется только на того, кто имеет свободу выбора.

Эта теория чужда как религиозным людям, верящим в вознаграждение и наказание Творца и уверенным в их благой цели, так и нерелигиозным. Ведь согласно этой теории, мы, обладающие разумом, являемся игрушками в руках слепой природы, которая ведет нас неизвестно куда!

Поэтому эта теория не была принята в мире. Считается, что тело, которое согласно третьей теории называется машиной, не является истинным человеком, а суть человека, его «я», представляет собой невидимую и неощущаемую вечную духовную сущность, в скрытой форме находящуюся внутри тела.

Но как эта духовная сущность может приводить тело в движение? Ведь в соответствии с утверждением самой философии, у духовного нет никакого контакта с материальным, и оно не оказывает на него никакого влияния.

Таким образом, ни философия, ни метафизика не могут представить решения по вопросу о душе.

ЗАКЛЮЧЕНИЕ

1. Все, что ощущает человек, воспринимается им в пяти органах чувств. Суммарная картина воспринимаемого в пяти органах чувств откладывается в мозге, анализируется, сравнивается с известными данными и преподносится сознанию как образ себя самого и картина окружающего мира. Таким образом, и свое тело, и все его окружающее человек воспринимает как результат ощущения пяти органов чувств. Ни самого тела, ни окружающего мира как таковых не существует – они являются следствием наших ощущений. Бааль Сулам пишет: «Я ощущаю себя твердым и имеющим размеры потому, что мои ощущения так представляют мне себя».

2. Если бы человек вообще не имел органов чувств, он не ощущал бы себя. А если бы органы чувств были иными по количеству или по качеству восприятия, то человек ощущал бы себя иначе, воспринимал бы свое тело и окружающий его мир сообразно тем ощущениям, которые поставляли бы ему органы чувств.

3. Все ощущаемое человеком в пяти органах чувств называется «раскрытое». Естественно, что у каждого индивидуума существует своя мера раскрытого, зависящая от его чувственного и умственного развития.

Раскрытое может быть:
• частным, индивидуальным;
• общим – раскрытым всему человечеству в целом на каждом конкретном этапе его развития.

4. Еще не раскрытое, но потенциально подлежащее раскрытию в будущем называется «скрытое». Оно подразделяется на два вида:
• скрытое, которое мы сможем раскрыть когда-либо в будущем в наших пяти органах чувств;
• скрытое, которое мы никогда не сможем раскрыть в наших пяти органах чувств.

5. Не раскрываемое в пяти органах чувств может быть раскрыто в шестом органе чувств. Каждый человек несет в себе зачаток шестого органа чувств, который он может развить. Каббала является методикой развития шестого органа чувств. Ощущение в шестом органе также состоит из двух составляющих подобно ощущениям тела и окружающего мира в пяти органах чувств:

• ощущение «тела» – называемого душой;
• ощущение «окружения» – называемого Высшим миром.

Ощущение Высшего мира воспринимается как ощущение вечности, совершенства и всезнания.

ВНУТРЕННЕЕ СОЗЕРЦАНИЕ

Этот раздел первой части «Учения десяти Сфирот» необходим для общего развития человека и для подготовки к усвоению духовных понятий. Здесь Бааль Сулам говорит о нашем восприятии себя и мира, рассматривает понятия Творец и творение, объясняет суть самого процесса творения и то, как творение реагирует на Творца.

Статья отвечает на вопросы о том, есть ли у творения свобода воли, почему мы существуем в рамках времени, пространства и движения, что такое мир и почему он устроен именно так.

Кроме того, разбирается вопрос о вознаграждении: как можно в течение нескольких десятков лет жизни в нашем мире, даже прилагая огромные усилия, выйти в духовный, вечный мир и достичь цели творения?

Бааль Сулам до такой степени отточил язык науки каббала, что теперь им можно описывать духовные понятия, не опасаясь, что человек ошибочно будет представлять себе материальные объекты вместо духовных. Это позволяет четко и ясно излагать основы взаимоотношений Творца и творения.

От редакции

ЯЗЫК ВЕТВЕЙ

Когда речь идет о Высшем мире, независимом от понятий времени, места и движения, нет у нас слов для его описания, потому что весь наш словарь взят из ощущений наших земных органов чувств. А там, где наши органы чувств и воображение не работают, мы не можем выразить ощущаемое в новом органе чувств, экране.

Как же можно выразить исследования и ощущения Высшего мира? Тем более, как раскрыть высшие знания в книге с помощью слов, как это принято в любой науке? Причем передача знаний должна быть точной, ведь если язык будет неточен даже в одном слове, неверно использованном для желаемой цели, то исказится все понятие целиком, и изучающий сразу запутается!

 В нашем мире нет каких-либо объектов или управляющих ими сил, которые бы не исходили из своих корней в Высшем мире. Все, что есть в нашем мире, начинается в Высшем мире, а затем постепенно нисходит в наш мир.

Поэтому каббалисты нашли для себя готовый язык, с помощью которого могут передавать друг другу свои постижения, устно и письменно, из поколения в поколение. Они используют имена ветвей (следствий) в нашем мире, чтобы обозначить ими высшие корни (причины), находящиеся в Высшем мире. Этот выбранный для своей науки особый язык каббалисты назвали «язык ветвей».

Поэтому в книгах по каббале встречаются грубые непринятые в обращении определения. Ведь после того, как каббалисты уже выбрали «язык ветвей», чтобы выражать с его помощью свои исследования в Высшем мире, они уже не могут пропустить какую-либо ветвь и не использовать ее название по причине его грубости, чтобы не выражать им желаемое понятие. Ведь в нашем мире нет иной ветви, чтобы использовать ее имя взамен пропущенной.

Нет ничего в мироздании, чего не существовало бы в Бесконечности

Понятия, противоположные в нашем восприятии, находятся в Бесконечности в простом единении и единстве.

Нет ничего в нашем мире, ни в том, что мы ощущаем нашими органами чувств, ни в том, что мы познаем нашим разумом, чего не существует и не находится в самой Высшей силе. Ведь все исходит из нее.

Однако в нашем восприятии различные понятия разделены или противоположны. Например, понятие «наука» отличается от понятия «сладость», ведь для нас наука и сладость – два отдельных понятия. Понятие «действующий» отличается от понятия «действие», ведь действующий и его действие имеют для нас разный смысл. И тем более понятия противоположные – такие, как сладость и горечь – определяются каждое само по себе.

Однако в Высшей силе понятия «наука» и «наслаждение», «сладость» и «горечь», «Действующий» и «действие», а также прочие отличающиеся и противоположные свойства и формы включены и объединены в простом Высшем свете, без разделения и различия. Свет определяется как «Один, Единственный и Единый».

• «Один» – указывает на то, что высший свет полностью однороден.

• «Единственный» – указывает на то, что исходящее из Высшего света множество форм, объединено в нем воедино в его сущности.

• «Единый» – указывает, что хотя Высший свет производит множество действий, однако делает все это единая сила, и все они снова возвращаются и объединяются воедино, и этот единый образ поглощает все формы, которые представляются нам в его действиях.

Два отличия во влиянии свыше: до его постижения получающим и после его получения.

В науке каббала любое понятие о Высшем мире – единое и простое, хотя и состоит из всего множества форм и свойств, и таким приходит к получателю. И только сам получатель, материальный и ограниченный, выделяет в едином и простом пришедшем к нему Высшем свете, одну отдельную форму из всего множества форм.

Поэтому всегда следует различать во влиянии свыше два вида:

• форма высшего наслаждения до ее получения – пока еще простой и единый Высший свет;

• после того, как свет-наслаждение достигло получающего, вследствие чего оно приобрело одну отдельную и частную форму, в соответствии со свойствами получающего.

ДУША – ЧАСТЬ ВЫСШЕГО СВОЙСТВА

Из сказанного выше мы сможем понять, что подразумевают каббалисты, когда говорят о сущности понятия «душа», как части Высшей силы. Не отличаясь ничем от этой Высшей управляющей силы, душа является ее частью. Подобно камню, отсеченному от скалы, где суть камня и суть скалы одинаковы, и нет никакого отличия между камнем и скалой, кроме того, что камень – это только часть скалы, а скала – это целое.

Как можно представить душу как отдельное понятие, как часть Высшей силы, часть свойства отдачи? Как и чем можно отделить их друг от друга?

ДУХОВНЫЕ ОБЪЕКТЫ ОТДЕЛЯЮТСЯ ПРИ ИЗМЕНЕНИИ ИХ СВОЙСТВ

Духовные объекты отделяются друг от друга только при изменении свойств отдачи. То есть, если один духовный объект приобретает два свойства отдачи, то это уже не один объект, а два.

Подобно тому, как материальные объекты отделяются физической разделяющей силой, и движение их определяется изменением расстояния одной части от другой, так и духовные объекты отделяются вследствие отличия свойств отдачи между частями, и мера отличия свойств отдачи определяет духовное расстояние между частями.

ФОРМИРОВАНИЕ В ТВОРЕНИИ ОТЛИЧИЯ СВОЙСТВ ОТНОСИТЕЛЬНО БЕСКОНЕЧНОСТИ

Душа настолько отделяется от Высшей силы, свойства отдачи, что ее можно назвать частью Высшей силы. Высшая сила – это простой свет, содержащий все разнообразие свойств и форм, включая противоположные формы и свойства, имеющиеся в мире, находящиеся в простом единстве, в виде «одного – единственного – единого» абсолюта.

Каким же образом может сформироваться в Высшей силе изменение свойств, чтобы ее часть стала отличной от нее и, вследствие этого, отделилась и стала называться «ее частью», но при этом осталась тем же свойством, что и Высшая сила, от которой отделилась?

Мы можем разделить все мироздание, все высшие и низшие миры на две категории:
• форма всей реальности до сокращения, в виде света Бесконечности, где нет ограничения для света;
• форма всей реальности после сокращения и ниже, где свет уже находится в границах и мерах в виде четырех миров Ацилут, Брия, Ецира, Асия.

Человеческая мысль не может воспринять ничего в сущности самой Высшей силы, и поэтому не может дать этой сути никаких имен и названий. Непостигаемое невозможно назвать по имени, ведь имя характеризует постижение, показывает какое свойство мы постигли в этом имени. Поэтому в сущности Высшей силы нет никаких имен и названий, а все наши определения, имена и названия – относятся только к свету, который распространяется от Высшей силы. Распространение Высшего света до сокращения, наполняющее всю реальность без границ и без конца, называется Бесконечность.

Работа и усилия как вознаграждение души

Вначале выясним общую цель Высшей силы, по причине которой она создала всю реальность, что перед нами, в Высших мирах и в нашем мире.

Если намерение Высшей управляющей силы как исключительно альтруистической – в наслаждении творений, то зачем понадобилось создавать этот материальный мир, столь несовершенный и полный страданий? Ведь можно было и без него создать условия для наполнения творений наслаждением? И зачем вводить душу в такое уродливое эгоистическое тело?

Из своего постижения Высшего управления каббалисты отвечают на это, что человек, получающий незаслуженное им самим наслаждение, испытывает стыд. При этом наслаждение обращается страданием. Чтобы избежать этого, создан этот мир, в котором творение совершает усилие, а затем наслаждается, не ощущая стыда от получения наслаждения.

Сравнение усилий с наслаждением

Но как можно сравнивать усилия, прилагаемые человеком в течение ограниченного количества лет его жизни в этом мире, с вечным наслаждением? Ведь такое сравнение показывает, что усилия никак не покрывают наслаждения. А это значит, что чувство стыда остается, и цель – бесконечное и вечное наслаждение – не достигается.

Это похоже на пример, когда один человек говорит другому: «Поработай на меня один день, а в награду за это я буду обеспечивать тебе всем, что пожелаешь в течение всей твоей жизни».

Получаемое вечное наслаждение подобно подарку, а не заработанному трудом. Ведь у награды нет никакого сравнения с работой, поскольку работа производится в этом преходящем мире, не имеющем никакой ценности относительно награды и наслаждений вечного мира.

ОДНОЙ МЫСЛЬЮ СОЗДАНО ВСЕ ТВОРЕНИЕ

Одной только мыслью или одним действием Высшей силы, создано все мироздание в своем единственно существующем законченном виде. Сама эта мысль, и замысел, и причина, и действие, и Действующий, и ожидаемое вознаграждение, и суть всех усилий – в общем, все, что только сердце может задумать и представить – все это в Высшей управляющей силе – одно целое.

Одной мыслью создано все творение, высшие и низшие, вплоть до всеобщего конечного исправления. Эта единая мысль действует во всем, она – суть всех действий, она определяет цель. И Эта единая мысль – суть всех усилий, и она сама – все совершенство и все ожидаемое вознаграждение.

Человек должен представить, что все мироздание находится в своем единственном совершенном виде, потому что только таким его создала совершенная управляющая альтруистическая сила. Человек тоже находится в совершенном состоянии, но ощущает его неисправным в меру своего эгоизма, отличия от альтруистического свойства Высшей силы. Он должен исправить свой эгоизм и ощутить себя в этом совершенном состоянии.

Как из совершенного Действующего произошли несовершенные действия

Как все изобилие и наслаждение, так и все неисправности и недостатки исходят от той же совершенной, альтруистической управляющей всем мирозданием Высшей силы, ведь нет иной силы и воли в мироздании. Но как это возможно, чтобы из одного источника исходило множество противоположных качеств?

Выяснение замысла творения

Безусловно, что конец действия изначально существует в его замысле, и конец действия – это цель «насладить творения». Для этого и создано творение. Высшая управляющая сила, высший замысел творения завершается сразу и немедленно, а не так, как у человека в нашем мире, который нуждается в инструментах и времени для выполнения действия.

В соответствии с этим понятно, что от замысла «сотворить и насладить сотворенных» сразу исходит и распространяется Высший свет во всех видах, уровнях и величинах наслаждений, которые задумала Высшая сила. В эту мысль включено все. Каббалисты называют ее «замысел творения» или «свет бесконечности», поскольку мы не постигаем саму сущность Высшей силы, а потому не даем ей названия.

Желание отдавать порождает желание получать

Желание отдачи Высшей силы рождает желание получать в творении. Желание получать – это и есть сосуд, в который творение получает наслаждение.

В начале творения свет Бесконечности заполнял всю реальность. В соответствии с желанием насладить творения свет распространился из Высшей силы. И сразу же органически в этот свет включено желание получать свет – наслаждение. Желание получать – и есть вся та мера величины света, которая распространяется. То есть, мера света и наслаждения соответствует мере желания насладиться.

Желание получать, в которое органически входит свет, сила замысла Творца, называется «место». Это подобно тому, как иногда мы говорим, что у человека имеется место, чтобы съесть килограмм хлеба. Ясно, что говорится не о величине желудка, а только о величине желания поесть, и мера «места» для получения хлеба зависит от меры желания еды. Так и в духовном, желание получить наслаждение – это место для наслаждения, которое определяется мерой желания.

Желание образует состояние

Желание получить наслаждение, находящееся в замысле творения, извлекает наслаждение из самой Высшей силы, образуя состояние Бесконечности. Это дает нам возможность ощутить свет Бесконечности, исходящий из общей сущности Высшей силы, которую мы не можем назвать никаким другим именем. Мы определяем свет как Бесконечность, поскольку в свет включено желание получать от сущности Высшей силы. И эта новая форма желания, свойство получения, которое ни в коем случае не является сущностью самой Высшей силы, определяет всю меру ощущаемого света.

В Бесконечности нет отличия желания от наполнения

Хотя свет покидает Высшую силу и отделяется, будучи облаченным в желание получать, эта новая форма еще не определяется как отличие света от Высшей силы, потому что оба объекта – и желание (Малхут Бесконечности) и наполнение (свет Бесконечности), исходят из Высшей силы, из замысла творения. В желании не определяется никакого отличия свойств и отделения от света, а свет и место – это одно целое.

Сокращение желания вызывает исход наслаждения

Желание получать наслаждение, входящее в свет Бесконечности, называется Малхут мира Бесконечности, которая включает в себя всю реальность. Суть сокращения желания в том, что Малхут мира Бесконечности поднялась и сравнялась по свойствам с Высшей силой и поэтому уменьшила свое желание получать наслаждение. Действие сокращения выполнено Малхут мира Бесконечности с таким намерением, чтобы посредством этого создать и сотворить все миры, вплоть до нашего мира. Это позволяет Малхут исправить форму желания получать, обрести форму отдачи, и, тем самым, прийти к подобию с Высшей силой. Но с уменьшением желания получать исчез и свет, наполняющий Малхут мира Бесконечности. Ведь наполнение Малхут светом зависит от желания получать, и само желание получать – это место для света. Таким образом, сокращение желания означает, что Малхут мира Бесконечности уменьшила свое желание получать, вследствие чего исчез свет, так как нет света без кли, то есть, без желания получать.

Отделение души

Выясним теперь понятие отделения души, о которой сказано, что это «часть Высшей силы». Чем отличается форма (свойства) души от света настолько, что этим она отделяется от целого, от Высшей силы?

Из вышесказанного понятно, что в душе на самом деле произошло значительное изменение свойств. Ведь, хотя Высшая сила содержит все свойства, ясно, что свойство желания получать не находится в Высшей силе. Все сотворение душ является следствием того, что Высшая сила желает насладить их, в этом заключается замысел творения. Соответственно, в душах действует желание получить наслаждение. И поскольку свойства душ изменились по отношению к свойствам Высшей силы, души отделяются от Высшей силы.

Как материальные объекты разделяются и отдаляются посредством силы, движения и удаления от места, так и духовные объекты разделяются и отдаляются посредством изменения свойств. И мера их отдаления друг от друга соответствует мере изменения их свойств. А если изменение свойств достигает полной противоположности, то происходит полное отдаление, отчуждение, и духовные объекты не способны получать друг от друга.

Разделение на системы положительных и отрицательных сил

После сокращения и появления экрана над желанием получать это желание отменяется, отделяется от свойств Высшей силы и прекращает быть кли для получения. Теперь вместо желания получать функцию кли для получения выполняет отраженный свет, а кли желания получать выходит из системы положительных сил и переходит в систему отрицательных сил.

В этом состоит все отличие положительных миров АБЕА (Ацилут, Брия, Ецира, Асия), системы положительных сил, от отрицательных миров АБЕА, системы отрицательных сил. Ведь кли для получения в АБЕА положительных сил – это отраженный свет, исправленный до совпадения по свойствам с Высшей силой, а АБЕА отрицательных сил пользуются желанием получать, которое сокращено в форме, противоположной миру Бесконечности. Этим они отделены от света.

ЧЕЛОВЕК НАХОДИТСЯ ПОД ВЛАСТЬЮ ОТРИЦАТЕЛЬНЫХ СИЛ

Человек питается от системы отрицательных сил и потому пользуется желанием получать.

Корень всех неисправленностей находится изначально в замысле творения насладить сотворенных. В результате развития пяти парцуфим мира Адам Кадмон и раскрытия системы отрицательных сил в мирах АБЕА, противоположной и параллельной системе положительных сил в мирах АБЕА, рождается отрицательное (эгоистическое) материальное тело, питающееся от системы отрицательных сил.

Система отрицательных сил, характеризующаяся своим эгоистическим желанием, противоположна Высшей силе, которая представляет собой только желание отдавать и наслаждать. Эгоистические желания называются мертвыми, поскольку вследствие противоположности их свойств Высшей силе являются отсеченными от нее и лишенными света жизни.

Поэтому тело, питающееся от эгоистической системы, представляющее собой только желание получать, а не отдавать, является отсеченным от света, и его желание постоянно готово целиком поглотить весь мир. Поэтому, даже если кажется, что люди делают положительные действия отдачи, в их замысле они преследуют только собственную выгоду с намерением ради себя.

И только вследствие занятия каббалой с намерением достичь свойства истинной отдачи, подобия Высшей силе, доставить ей такое же наслаждение, какое она желает доставить нам, изучающий каббалу исправляет свое намерение с «ради себя» на «ради Высшей силы». Человек при этом обращает свой сосуд из получающего в отдающий, и это называется «очищением тела». В результате такого изменения в себе, человек приходит к подобию свойств с Высшей силой и к слиянию с ней. Обретение человеком формы желания отдачи является целью всего творения.

Все творение заключено в мире Бесконечности

Все творение, то есть, все вновь созданное Высшей силой, создано из ничего, то есть, не имело до своего появления никакого корня. Это обновление относится только к желанию насладиться в каждом творении, кроме него не создано ничего. Ведь наполнение, свет исходит из самой Высшей силы, в нем нет ничего нового.

Все творение заключено в мире Бесконечности и нисходит из уже существующего, и только желание получать является вновь созданным и происходит из ничего. Все новое или обновляемое, появляющееся в мире, происходит только по причине изменения желания, сосуда.

Желание насладиться — единственное творение

Однако изменение свойства в виде желания получать обязательно должно было быть создано в творениях, ведь иначе они не смогли бы выйти из Высшей силы и стать самостоятельным творением.

Желание наслаждаться – главное качество всего творения. Замысел творения является его причиной, оно является мерой количества наслаждения и поэтому называется местом. Приводя низших получающих к отделению от Высшей силы, оно нисходит до свойства смерти.

Стремление ветви к корню

Поскольку природа ветви, следствия совпадает с ее корнем, то все свойства, присущие корню, ощущаются в ветви как хорошие, она желает их и стремится к ним. И наоборот, от всех свойств, отсутствующих в корне, ветвь отдаляется, не может их терпеть, ненавидит их. Этот закон действует в каждом корне и его ветви. Поскольку Высшая сила является корнем всех творений, то все имеющееся в ней и нисходящее к нам от нее прямым образом нравится нам. Все наши свойства, которые отсутствуют в Высшей силе, не исходят напрямую от нее и противоположны ее природе, вызывают в нас страдание.

Источник всех наслаждений и страданий в мире

Мы любим покой и ненавидим движение настолько, что не делаем никаких движений, кроме как для того, чтобы достичь покоя. И это потому, что наш корень находится в покое и движение противоречит нашей природе.

Мы любим мудрость, силу, богатство, хорошие качества, вследствие того. что они имеются в Высшей силе, являющейся нашим корнем, и ненавидим их противоположность: невежество, слабость, нищету, унижение, потому что они отсутствуют в нашем корне и потому отвратительны для нас.

Итак, поскольку мы представляем собой ветви, исходящие из Бесконечности, то все находящееся в нашем корне воспринимается нами как наслаждение, а все отсутствующее в нем – как обуза и страдание.

Непрямое воздействие Высшей силы

Если существует только Высшая сила и созданное ею творение, то все, что творение получает, исходит или от Высшей силы, или является внутренней сутью самого творения. Отсюда следует, что все неприятные ощущения вызываются свойствами самого творения, а не посылаются непосредственно Высшей силой. Это похоже на то, как богач приглашает бедняка с улицы, кормит его, поит и одаривает драгоценностями.

Бедняк ощущает в подарках богача огромное наслаждение и стыд одновременно. Оба эти ощущения вызываются отношением богача к нему, но доброе исходит от богача прямо, а неудобство получения незаслуженного исходит из собственной сущности получающего, то есть, исходит от действия богача непрямым образом.

Компенсация стыда

Из вышесказанного выясняется, что в наших свойствах получать, возникающих в нас непрямым действием Высшей силы, мы будем ощущать нетерпимость. Поэтому желание насладиться – новое свойство, созданное в получающем, не ущербно само по себе. Более того, оно – суть всего творения, без которого нет творения вообще. Однако человек, обнаруживающий в себе это свойство, ощущает в нем нетерпимость к себе самому, потому что этого свойства нет в его корне.

Поэтому этот мир создан с той целью, чтобы человек, получающий вознаграждение незаслуженно, ощутил стыд перед дающим вследствие отличия их свойств, и исправил свои свойства. И душа приходит в этот мир, облачается в тело, и, посредством занятий каббалой с намерением уподобиться Высшей силе, изменяет свое желание получать на желание отдавать.

Таким образом, происходит изменение намерения при получении, чтобы со стороны души не было стремления к собственному наслаждению. Исправленная душа получает наслаждение, чтобы доставить наслаждение Высшей силе, потому что она желает, чтобы души насладились ее светом. Вследствие очищения от эгоистического желания получить для самой себя душа более не испытывает чувства стыда и раскрывает таким образом полное совершенство сотворенных.

Итак, поскольку желание насладиться не находится в нашем корне, мы ощущаем стыд и нестерпимость от его проявления. Чтобы исправить это ощущение, Высшей силой уготовлена нам возможность в этом мире собственными усилиями обратить желание получать в желание отдавать. Обратить свойство получения в свойство отдачи возможно только в этом мире, если приложить достаточно усилий.

Двойной выигрыш или проигрыш

Наш мир создан совершенно опустошенным от высшего наслаждения, и чтобы достичь наслаждения, необходимо усилие, а оно ощущается как страдание, потому что исходит от Высшей силы непрямым образом. Однако оставаться без наслаждения невозможно, ведь это также противоречит нашему корню, полному наслаждений.

Поэтому в страдании человек выбирает умножение усилий, чтобы достичь наполнения. Однако, вследствие получения ради себя, человек никогда не ощущает себя наполненным, а всегда остается после наполнения еще более пустым. Он страдает вдвойне: от умножения усилий и от отсутствия наполнения желаемым.

Тот же, кто обращает «желание получать» в «желание отдачи» (получает с намерением отдачи), выигрывает дважды: он постигает совершенное наслаждение и достигает совпадения свойств с Высшей силой, Творцом, приходя при этом к слиянию и покою, когда наслаждение нисходит к нему свыше без всяких усилий.

ЗАМЫСЕЛ ТВОРЕНИЯ ОБЯЗЫВАЕТ ВСЕ ЧАСТИ ТВОРЕНИЯ ДОСТИЧЬ ОКОНЧАТЕЛЬНОГО ИСПРАВЛЕНИЯ

Единство Высшей силы проявляется в постижении нами единой цели всех множеств свойств и форм мироздания, в постижении объединения всех событий в одной единой мысли Высшей силы, в замысле творения «насладить сотворенных».

Эта единая мысль охватывает всю реальность в полном единстве до окончательного исправления, потому что она – цель творения, и она – исполнительная сила. Ведь все, что содержится в мысли Высшей силы, обязательно и неизбежно выполняется в ее творениях, это является законом.

Поскольку замысел Высшей силы – насладить творения, то в нас неизбежно было создано свойство – желание получать ее наслаждение. После того как в нашу природу заложен закон «желание получать наслаждение», наше состояние определяется как «действие». Ведь вследствие отличия наших свойств от свойств Высшей силы мы переходим из состояния «Творец» в состояние «творение», из состояния «действующий» в состояние «действие».

После отдаления от Высшей силы до состояния отдельного тела в этом мире, в противоположном ей свойстве посредством изучения каббалы на изучающего привлекается Высший свет, исправляющий его намерение и постепенно обращающий желания получения в желания отдачи.

В этом – вся ожидающая нас награда, поскольку до тех пор, пока желание получать будет неисправленным намерением «ради отдачи», невозможно увеличить получение наслаждения. Ведь получение наслаждения привнесет с собой огромное страдание – «стыд».

Исправляя желание получать, чтобы приобрести намерение «ради отдачи», человек достигает подобия желанию Высшей силы и становится способным получать наслаждение безгранично.

Итак, все свойства во всех творениях, включая свойства противоположные Высшей силе, исходят исключительно из единого замысла, и все это включено в единый замысел Высшей силы «насладить сотворенных». К этим свойствам относятся понятия действующий, действие, неисправность, исправление, работа, вознаграждение, множество духовных понятий, понятия внешних наук, все множество творений и миров и их разнообразные проявления.

ДУХОВНОЕ ДВИЖЕНИЕ

Духовное движение означает изменение свойств и несопоставимо с движением, воспринимаемым нашими органами чувств как перемещение объекта с места на место. Каждое изменение свойств мы называем движением, поскольку то изменение свойств, которое появилось в духовном объекте, в отличие от его прежних свойств, приводит к отделению и отдалению от этого духовного объекта нового духовного объекта, получающего свое имя и свое место.

Это можно сравнить с материальным объектом, от которого отделяется какая-то часть и перемещается на иное место. Духовное движение означает появление новых свойств.

ДУХОВНОЕ ВРЕМЯ, ПРОШЛОЕ И БУДУЩЕЕ

Суть понятия времени есть не что иное, как ощущение движения. Материальный разум человека представляет и придает форму определенному количеству последовательных движений и переводит их в представление об определенном «времени». Если бы человек и все, что его окружает, находилось в полном покое, понятия времени не существовало бы совсем. В духовном «время» определяется количеством духовных движений – обновлений свойств, исходящих одно из другого в виде причины и следствия. Духовные понятия «прежде» и «затем» всегда означают причину и следствие.

МАТЕРИАЛ ТВОРЕНИЯ

Весь материал творения – это желание получить наслаждение. Все, что есть в творении, кроме желания насладиться, относится к наполнению (к Высшей силе, Творцу) и называется свет.

ЖЕЛАНИЕ ПОЛУЧИТЬ ЕСТЬ ПЕРВИЧНАЯ ФОРМА КАЖДОЙ СУЩНОСТИ

Желание получить есть первичная форма каждой сущности, и ее мы определяем как материал, потому что сущность мы не постигаем. Хотя «желание получить» понимается как проявление и форма сущности, но разве можно воспринимать его как материал сущности?

Однако так это и в материальных объектах, где первичную форму сущности мы называем «первичным материалом» этой сущности, потому что материал мы не постигаем и не воспринимаем, так как ни один из пяти наших органов чувств не улавливает этого. Ведь зрение, слух, обоняние, вкус, осязание передают в мозг для обработки только сигналы, отражающие некие свойства разновидностей сущности, приобретающие форму только при взаимодействии с нашими органами чувств.

Например, если мы возьмем даже микроскопически маленькие атомы, находящиеся в первичной основе какой-либо сущности, выделенные посредством химических процессов, то и они представляют собой не что иное, как некие свойства, таким образом представляющиеся нашим органам чувств. Точнее, они различимы и могут быть определены нами посредством проявлений «желания получить и быть полученным». Мы можем определить и выделить эти атомы во всяческих разновидностях, вплоть до первичного материала этой сущности, – но и тогда это будут только силы сущности, а не сам материал.

Поэтому мы находим, что и в материальном нет у нас иной возможности понять первичный материал, кроме как в предположении, что первичная форма является первичным материалом, содержащим все остальные случаи и формы, происходящие из нее. А тем более это справедливо для Высших миров, ведь ничего из ощущаемого и представляемого нашими органами чувств не действует там.

ЧЕТЫРЕ МИРА

Статья составлена из отдельных набросков Бааль Сулама.

От редакции

Постижение материи и ее формы

Объекты нашего постижения делятся на три вида:
• материя – постигается в мире Асия;
• форма материи – постигается в мире Ецира;
• средство обеспечения существования материи и формы в мирах Асия и Ецира – постигается в мирах Брия и Ацилут.

Каждый из миров АБЕА является дающим и получающим относительно душ.

Каббалисты исследуют только материю и форму материи в мирах Асия и Ецира, потому что мир Брия и общность всех миров воспринимается разумом с трудом.

Основой исследования является мир Асия, то есть материал множества частных желаний, каждое из которых имеет свою форму. Этот материал легко усваивается разумом и развивает его, позволяя исследовать каждую отдельно взятую особенность, отделить и отличить ее от остальных. Это и является целью работы – познать преимущества света над тьмой в каждой детали существующей действительности.

Четыре формы: точка, линия, плоскость, трехмерная фигура

Существуют всего четыре формы:
• точка;
• линия;
• плоскость;
• трехмерная фигура – следствие соединения предыдущих форм.

Эти четыре формы включают в себя все формы и в этом, и в Высшем мире. Детали же всех миров одинаковы.

Этот мир – материал, отпечатанный со спустившихся Высших духовных миров. Во время работы в этом мире мы постигаем лишь материальные формы. Нет никакой возможности понять и постичь что-либо вне материальных форм.

Творец, как создатель всего, постигается нами как имя АВАЯ, включающее в себя все виды форм, существующих в мире. Это имя состоит из четырех букв:
• буква юд – точка;
• буква хэй – плоскость;
• буква вав – линия;
• буква хэй – трехмерная фигура.

Последняя буква «хэй» – это раскрытие первой буквы «хэй», только в более материальном виде, то есть в форме, занимающей место, тогда как три предшествующие формы совершенно не занимают места.

Постигается также начало точки, острие буквы юд. Поэтому имя АВАЯ – источник всех имен. Каждое имя – это проявление Творца в творении, то есть получение и отдача. Ведь суть Творца совершенно непостижима, а постигается воздействие, приходящее к нам от Творца. И потому все творение представляет собой имена Творца. Человек исследует на себе и объединяет полученное имя с его корнем – Творцом в намерении на отдачу. Таким образом, имя – это то, что он получает, исследуя и познавая Дающего.

Человек называется по постигаемому им проявлению Творца – имени Творца. Находящиеся в темноте, не видя исходящего от Творца, не имеют имени. Изучающий исследует и выясняет, что имя – это результат исходящего от Творца блага. Этим он поднимает из своих эгоистических желаний упавшую в него искру Творца.

Так, в соответствии с полнотой анализа и мерой познания, постигается величие «Имени», и человек с любовью объединяется с именем Творца в мыслях и в полном осознании. Это происходит посредством поднятия МАН и нисхождения МАД. Человек поднимается и возвращается – и при этом каждый раз увеличивается его познание, пока он не становится партнером Творца в Его первичном действии. И как Творец создает миры, так и человек создает миры, наполняя их как отдающий и как получающий.

ДЕЙСТВИЕ ИСПРАВЛЕНИЯ

Несмотря на то, что весь анализ осуществляется в мысли, человек обязан совершить раскрытие Творца вплоть до мира Асия – практическим действием исправления пробудить единение с Творцом.

ТРИ СОЮЗА

Существует три союза:
• «союз глаз» – ГЭ;
• «союз языка» – АХАП;
• «брит-мила».

Каждый низший парцуф облачается своей верхней частью, ГЭ, в нижнюю часть Высшего парцуфа, АХАП. То есть духовное, Высшее постигается только нашими АХАП, и наше единение с Высшим происходит с помощью первых двух союзов. Через эти два союза все формы передаются от Высшего к низшему, от каббалиста к ученику письменно и устно.

Знание мира, духовная информация выражается посредством письма и чтения и передается и получается глазами (союз глаз), а также выражается устно и передается и получается посредством речи (союз языка).

Все миры были созданы, чтобы использовать указанные три союза в методике каббалы в следующих видах:
• письменном – глазами;
• устном – языком;
• тайном – брит.
Сборник трудов Бааль Сулама

Буквы и точки

Распространение отдачи происходит посредством букв и точек. Глаз воспринимает лишь те буквы и точки, которые понимает его сердце. Язык воспроизводит только буквы. Такое восприятие называется «сердце», так как знание получается по 32 каналам отдачи (32 – гематрия или численное выражение слова «лев» – сердце): 22 буквами и 10 точками, представляющими собой основу форм мира и наполненными знанием и жизнью мира.

Имя АВАЯ включает в себя все формы письма и речи, так как строение букв – это точки и линии, где каждая точка – это сокращение, а каждая линия – распространение.

Суть и желания

Суть и желания указывают на два вида света:
• свет по отношению к действующему;
• свет по отношению к тому, на кого воздействуют.

В этом основа мужского и женского начала – линии и решимо, души и тела, Творца и Малхут, милосердия и закона, чтобы в их единении завершилась работа.

Суть властвует и раскрывается в желании в соответствии с пробуждением и подготовкой желания. Природа сути различима только в желании, в которое она облачается. Желание позволяет использовать сознание. Ничто не воспринимается сознанием, кроме желания, в которое облачается суть.

Суть Творца познать не дано, ведь все, что мы постигаем, – это исправленное желание, в которое облачена суть Творца. Это подобно тому, как во всех исследованиях мы измеряем не саму суть, а проявление ее взаимодействия с измерительным прибором. Поэтому, если мы видим управление Творца, значит, действительно, раскрываем Его воздействие на нас.

СУТЬ НАУКИ КАББАЛА

С помощью каббалистических знаний человек может и должен начать свое осознанное развитие. До сих пор человечество шло вперед под воздействием внешних сил: его подгоняли страдания или привлекали наслаждения. В современную эпоху страдания проявляются все сильнее, и потому нам просто необходимо поставить перед собой новую цель – более высокую ступень духовного развития. Тогда мы сменим долгий путь страданий на быстрое и уверенное движение к цели.

Наука каббала – это раскрытие высших законов, исходящих от единственного, абсолютного источника. Постепенно они раскрываются каждому человеку в нашем мире, чтобы он правильно использовал их для подъема к своему совершенному состоянию.

Кроме того, Бааль Сулам рассказывает в этой статье о языке корней и ветвей и о том, как каббала передавалась через поколения, чтобы раскрыться в наше время всему человечеству. Сегодня главной задачей является распространение в мире образовательной, просветительской методики, которая обеспечит каждого средствами для духовного подъема. Чтобы взять верный курс, необходимо донести до всех информацию о цели творения.

От редакции

Что является основой науки каббала

Наука каббала представляет собой причинно-следственный порядок нисхождения Высших сил, подчиняющийся постоянным и абсолютным законам, связанным между собой и направленным на раскрытие человеком Высшей управляющей силы (Творца) в этом мире.

Закон общего и частного

Закон общего состоит в том, что все человечество в конце своего развития неизбежно должно прийти к раскрытию Высшей управляющей силы и полностью постичь ее. Закон частного состоит в том, что и до достижения такого совершенного состояния всем человечеством, отдельные личности в каждом поколении также смогут достичь такого состояния.

Множественность духовных тел, сфирот, миров

Наука каббала изучает пути достижения человеком Высшей цели – тождественности Высшей силе. Вследствие этого она исследует строение и взаимосвязи множества духовных тел. Чтобы пояснить это, возьмем для примера любое животное, вся роль которого заключается лишь в том, чтобы прокормить самого себя и просуществовать в мире определенное время, необходимое для того, чтобы родить себе подобных, тем самым обеспечив существование своего вида. При его исследовании мы обнаружим, что оно представляет собой сложное соединение из множества волокон и жил, как и установлено физиологами и анатомами в результате исследований. Но есть еще много соединений, еще не известных человеку. Из этого примера по аналогии можно понять разнообразие великого множества различных соединений и связей, которые нам необходимо изучить, чтобы достичь Высшей цели.

Два пути: сверху вниз и снизу вверх

Наука каббала изучает два параллельных пути постижения Высшей управляющей силы. Различие между ними лишь в том, что первый путь ведет сверху вниз до этого мира, а второй путь начинается в этом мире и поднимается снизу вверх по тем же ступеням, которые были образованы первым путем.

Высшие корни нисходят и постепенно раскрываются по первому пути сверху вниз. Поэтому этот путь называется в каббале «порядком нисхождения миров, парцуфим и сфирот». Второй путь называется «постижением Высшей силы».

Человек, постигающий Высшую силу, обязан идти снизу вверх, постепенно постигая каждую деталь и каждую ступень, в полном соответствии с теми законами, которые установлены при нисхождении Высшей силы сверху вниз.

Полное постижение Высшей управляющей силы происходит постепенно и проявляется в ощущениях человека в течение определенного времени, в зависимости от скорости очищения от эгоизма, пока он не постигнет все свойства всего множества ступеней, нисходящих сверху вниз.

Последовательное постижение всех ступеней предопределено, каждое последующее постижение выше предыдущего, что напоминает лестницу со ступенями.

Абстрактные названия

Многие полагают, что все названия и понятия, используемые в науке каббала, относятся к разряду абстрактных. Это ошибочное представление возникло потому, что каббала изучает Высший мир, находящийся вне времени и пространства, что дано узреть только тому, кто овладел каббалистической методикой.

А поскольку лишь немногие осваивают эту науку и постигают Высший мир, то бытует мнение, что термины, описывающие Высшие миры, являются лишь абстрактными категориями, абсолютно оторванными от реальности.

Однако в действительности каббала не описывает ничего, чтобы не отражало реальную действительность, постигаемую каббалистами. Непреложный закон каббалы гласит: «Описываем только действительное постижение, и только ему даем название. Все, что не постигнуто, нельзя назвать по имени и объяснить словами».

Постижение в каббале означает высшую ступень понимания. До тех пор, пока не достигнуто такое абсолютно ясное осознание, как будто держишь предмет в руках, каббалисты не называют это постижением, а обозначают другими названиями: понимание, знание и т. д.

Реальность, заключенная в науке каббала

В материальной действительности, предстающей в наших ощущениях, существуют реальные явления, суть которые нам не дано постичь даже в воображении, например, электричество и магнетизм. Но мы не сомневаемся в их реальности, наши знания об их проявлениях нас полностью удовлетворяют, и нам совершенно неважно, что мы не имеем ни малейшего представления об их сути. Их названия так реальны и близки нам, будто мы действительно ощущаем их, и даже маленьким детям название «электричество» знакомо так же хорошо, как названия хлеб или сахар.

Более того, как не дано нам постичь суть Высшей управляющей силы, точно в такой же степени не дано нам постичь суть созданных ею творений. Все материальные явления мы постигаем только из реакции наших органов ощущений на их воздействие. Это дает нам полное удовлетворение, несмотря на то что нет у нас никакого представления об их сути. Нам не дано постичь также собственную суть, все, что нам известно о себе, – это лишь порожденный ею процесс.

Поэтому все названия и термины, встречающиеся в каббалистических книгах, реальны, несмотря на то что мы не постигаем их сути. У исследователей Высшего мира возникает совершенное удовлетворение от исчерпывающего знания, хотя они постигают лишь реакции человека на его взаимодействие с Высшей управляющей силой. Такое постижение является совершенно достаточным и не вызывает в нас ощущения неполноценного знания, как не возникает у нас потребности в шестом пальце на руке, поскольку нам вполне достаточно пяти пальцев.

ТРУДНОСТЬ ВЫРАЖЕНИЯ ВЫСШЕГО ПОСТИЖЕНИЯ

Мы не в состоянии выразить словами или буквами нашего мира понятия Высшего мира, поскольку весь наш словарь отображает ощущения пяти органов чувств. Трудность усугубляется тем, что мы должны выразить словами и обнародовать для обсуждения некое знание, как это принято в научных исследованиях. Поэтому каббалист должен пользоваться абсолютно точными определениями.

ЗАКОН КОРНЯ И ВЕТВИ В МИРАХ

Четыре мира – Ацилут, Брия, Ецира, Асия, составляющие мироздание, начиная с высшего из них мира Ацилут, и кончая нашим материальным миром Асия, имеют одинаковое, полностью совпадающее во всех деталях строение. То есть, реальность и все ее проявления, существующие в первом мире, существуют и во втором, расположенном под ним, более низком мире. И так во всех последующих мирах, вплоть до нашего мира.

Миры различаются лишь качеством материала, которое и определяет высоту ступени каждого из миров. Материал наивысшего мира наиболее «тонок», по сравнению со всеми низшими. А материал второго мира грубее материала первого мира, но тоньше, чем на всех нижестоящих по отношению к нему ступенях. Такой порядок сохраняется до нашего мира, в котором материал проявлений реальности грубее и «темнее», чем во всех предшествующих мирах.

В то же время объекты и формы в каждом мире одинаковы во всех деталях как по количеству, так и по качеству. Это можно сравнить с печатью и ее оттиском: мельчайшие детали печати полностью переходят на оттиск. Так и с мирами: низший мир является оттиском высшего по отношению к нему мира. Все формы, существующие в высшем мире, как количественно, так и качественно, полностью отпечатаны в низшем мире.

Так что, нет в низшем мире ни одной детали или явления, которые не являлись бы отображением высшего мира. Это называется «корнем и ветвью» и означает, что деталь, находящаяся в низшем мире, является ветвью, отображающей свой аналог, находящийся в высшем мире и являющийся ее корнем, так как эта деталь, берет свое начало из высшего мира и отпечатывается в низшем. Иными совами, корень, называемый «судьбой», заставляет ее расти количественно и качественно, с целью приобретения качества, присущего оттиску с печати. Таков закон корня и ветви, действующий во всех деталях в реальности каждого мира сообразно с миром более высоким.

ЯЗЫК КАББАЛИСТОВ – ЭТО ЯЗЫК ВЕТВЕЙ

Любое явление в нашем мире является ветвью и соответствует своему корню – аналогу этого явления в высшем мире. На основе соответствия ветви своему корню каббалисты создали язык ветвей.

Нет ничего в низшем мире, что не брало бы свое начало и не проистекало бы из высшего мира. Корень, находящийся в высшем мире, обязывает соответствующую ему ветвь в низшем мире принять свою форму и приобрести свои качества.

Исходя из связи корня с ветвью, каббалисты создали словарный запас, позволяющий им говорить о духовных корнях высших миров, применяя название низшей ветви, четко определяемой в ощущениях этого мира. Такой подход позволяет человеку понять высший корень, поскольку являющаяся следствием своего высшего корня материальная ветвь, ясно указывает на него.

Так любой объект ощущаемого нами мира позволяет использовать точное название, указывающее на его Высший корень. При этом сам корень невозможно назвать никаким словом, поскольку он выше всякого воображения. Однако, благодаря наличию ветвей, доступных органам ощущения человека в нашем мире, словесное выражение Высших корней обрело право на существование.

Такова суть языка общения каббалистов, с помощью которого их высшие постижения передаются от поколения к поколению устно и письменно. Точность определений явлений высшего мира позволяет каббалистам хорошо понимать друг друга, что является обязательным условием в любом научном исследовании. Ими установлены такие точные рамки, которые не позволят ошибиться, так как каждая ветвь имеет естественное определение, присущее только ей, и потому однозначно указывает на свой духовный корень.

ПЕРЕДАЧА ЗНАНИЙ ОТ УЧИТЕЛЯ К УЧЕНИКУ

Слова учителя не могут передать высшего знания, находящегося вне времени, пространства, движения. Только язык ветвей способен выразить соотношения ветвей и их высших корней. Однако пользоваться этим языком может лишь человек, понимающий соотношение корней и ветвей. Нельзя постичь связь «корень-ветвь» снизу вверх.

Глядя на низшие ветви, ощущаемые в нашем мире, совершенно невозможно представить никакой аналогии их высшим корням. Сначала ученик должен сам постичь высшие корни. Тогда он сможет количественно и качественно понять все соотношение между каждой ветвью и ее корнем в высшем мире.

Только после того, как ученик хорошо поймет связи корня с ветвью, у него возникнет общий язык с учителем-каббалистом. Тогда учитель на языке ветвей сможет передать ему все тонкости своей мудрости и знание о происходящем в высших мирах – все то, что он получил от своих учителей, и то, что постиг самостоятельно. Ведь теперь есть у них общий язык, и они понимают друг друга.

Если ученик еще не понимает этого языка, не знает, каким образом ветвь указывает на свой корень, то из-за отсутствия общего языка у учителя нет никакой возможности объяснить ни одного слова из высших знаний и разговаривать об исследованиях каббалы. То есть передать каббалистические знания можно лишь тому, кто их сам понимает.

Но как ученик сам постигнет язык ветвей? Посредством изучения каббалистических книг, постепенно вводящих его в ощущение Высшего мира. Поднявшись хотя бы на самую малую ступень Высшего мира, с ее уровня сверху вниз он постигает язык ветвей. Только теперь, с появлением общего языка, ученик может получать знания от учителя-каббалиста.

«ГРУБЫЕ» НАЗВАНИЯ В КАББАЛЕ

Из вышесказанного можно понять, почему каббалисты используют понятия «поцелуй», «соитие», «объятие», «роды» и др. для выражения возвышенных идей. Ведь для объяснения каббалы невозможно пользоваться никаким другим языком в мире, кроме языка ветвей, точно указывающего на связь каждого корня с его ветвью. Невозможно отказаться от какой бы то ни было ветви из-за низости ее уровня и не использовать ее для описания ее взаимосвязей с высшим корнем. Ведь в нашем мире не существует другой ветви, соответствующей этому высшему корню.

Если отказаться от использования какого-то названия, потеряется соответствующее ему понятие высшего духовного мира, поскольку нет больше никакого слова, пригодного для описания этого корня. При этом будет нанесен ущерб всей науке в целом. Ведь в таком случае из общей цепи науки выпадает одно звено, а поскольку все звенья переплетены друг с другом, то рушится вся цепь.

Поэтому не должно вызывать удивления использование любых названий. Они не выбираются произвольно, и нельзя заменить название, так как каббалисты обязаны точно использовать название ветви, указывающее на ее высший корень.

СВОБОДА ВОЛИ

В чем наша свобода и как ее достичь? Любой человек формируется наследственными факторами и окружающей средой. «Выпеченный» в духовке генов и воспитания, он проводит в этом замкнутом круге всю свою жизнь.

Однако на определенном этапе развития у нас пробуждается «точка в сердце» – новое, духовное желание. Тогда мы понимаем, что находимся во власти эгоистической природы, и стремимся освободиться от нее. «Точка в сердце» – это духовный ген, и мы должны сами развить его, создав вокруг себя соответствующее окружение. Здесь-то и возникает «территория свободы», та область, где мы можем действовать самостоятельно.

Мы свободны только в одном – в выборе продвижения по духовному пути. Осознанно «подставляя» себя под воздействие правильного окружения, мы поднимаемся над программой своей жизни, которую получили от природы и общества. Не нарушая общепринятых норм и законов, мы берем в свои руки самое главное – развитие души.

Выбор группы, изучающей каббалу, имеет решающее значение. Так человек создает свое будущее «Я» – свободную личность, которая включается в общее движение к совершенству.

От редакции

ПРЕДИСЛОВИЕ

В одной древней молитве говорится: «Боже! Дай мне силы изменить в моей жизни то, что я могу изменить, дай мне мужество принять то, что изменить не в моей власти, и дай мне мудрость чтобы отличить одно от другого».

На что же именно в нашей жизни мы можем влиять? Достаточно ли отпущенной нам свободы действия, чтобы менять свою жизнь и судьбу? Почему человек естественным путем, от природы не получает этого знания?

Несмотря на то что в основе нашей природы лежит лень и здоровый эгоизм – желание максимального получения при минимальных усилиях, – почему мы, в отличие от животных, совершаем необдуманные и неэффективные поступки?

Возможно, мы действуем там, где все уже запрограммировано заранее, и наше участие должно быть намного более пассивным, а мы считаем, что ход событий зависит от нас?

Возможно, мы вообще должны перестроить свою жизнь и не относиться к ней так, будто мы что-то решаем, а предоставить ей течь самой по себе, самим же действовать лишь в тех сферах, которые подвластны нашему влиянию?

Неразумные поступки совершают дети, потому что их развитие, определенное природой, происходит неосознанно или под влиянием инстинкта. Взрослый человек определяет цель, и желание достичь ее дает ему энергию для движения к ней.

Очевидно, мы ошибаемся именно в определении пределов наших возможностей в достижении цели. То есть мы желаем достичь невероятного или изменить то, что неподвластно нам.

Природа не дает нам информации о том, в каких поступках мы действительно свободны, а в каких существует лишь иллюзия свободы. Природа позволяет нам ошибаться – как каждому человеку, так и всему человечеству. Ее цель – привести нас к разочарованию в своей способности изменить что-либо в этой жизни и в самих себе, чтобы все мы оказались в состоянии полной растерянности и дезориентации относительно того, как жить дальше. Тогда, остановившись, мы смогли бы определить, на что же мы в состоянии влиять.

Суть свободы

При общем рассмотрении, свободу можно отнести к закону природы, пронизывающему все стороны жизни. Мы видим, что животные в неволе страдают. Это свидетельство того, что природа не согласна с порабощением любого творения. Неслучайно человечество сотни лет вело войны, пока не достигло некоторой степени свободы личности.

В любом случае, наше представления о свободе очень туманны, и если мы углубимся в ее содержание, то от него почти ничего не останется. Ведь прежде, чем требовать свободы личности, мы должны предположить стремление к свободе у каждой личности. Но сначала надо выяснить, способна ли личность действовать по свободному желанию.

Наша жизнь – между наслаждением и страданием

Если проанализировать действия человека, мы обнаружим, что все они являются вынужденными. Ведь внутренняя природа человека и внешние обстоятельства вынуждают его действовать по заложенному в нем алгоритму поведения.

Природа поместила нас между наслаждением и страданием. И нет у нас свободы, чтобы выбрать страдания или отвергнуть наслаждения. А все преимущество человека над животными состоит в том, что человек способен видеть отдаленную цель и поэтому готов согласиться на известную долю страданий, видя в будущем компенсирующее вознаграждение.

Но на самом деле, тут нет ничего кроме расчета, когда, оценив пользу, мы находим ее предпочтительней боли и согласны перенести боль ради наслаждения в будущем. Так например, мы идем на хирургическую операцию и платим за нее большие деньги или готовы много трудиться для обретения выгодной специальности. Все дело в расчете, когда, вычитая страдания из ожидаемого наслаждения, мы получаем определенный положительный остаток.

Так устроены все мы. А люди, кажущиеся нам безрассудными и нерасчетливыми – романтики или жертвующие собой, просто руководствуются особым видом расчета. Для них будущее проявляется как настоящее, и столь явно, что во имя него они готовы сегодня пойти на необычные для других страдания, которые расцениваются нами как жертва, подвиг.

Но на самом деле и в этом случае организм сознательно или подсознательно производит расчет. Психологам известно, что в любом человеке можно изменить приоритеты, приучив его производить расчеты так, что самый большой трус станет героем. В глазах каждого человека можно возвысить будущее настолько, что человек согласится на любые лишения ради него. Отсюда следует, что нет разницы между человеком и животными. А если так, то не существует свободного, разумного выбора.

КТО ОПРЕДЕЛЯЕТ НАШИ НАСЛАЖДЕНИЯ?

Мы не выбираем наслаждения и их характер. Мы делаем выбор не по своему свободному желанию, а в соответствии с желаниями других.

Мы не выбираем моду, образ жизни, увлечения, досуг, пищу. Выбор производится в соответствии с желаниями и вкусами окружающего общества. Причем не лучшей его части, а большинства. Ведь нам удобнее вести себя проще, ничем не обременяя себя, но вся наша жизнь скована условностями вкусов и манер общества, превращенными в законы поведения и жизни. А если так, то скажите: где же наша свобода? Получается, что нет нам ни вознаграждения, ни наказания ни за какие наши поступки.

Почему все же каждый ощущает себя как индивидуальность? Что в каждом из нас особенного? Какое свойство в нас мы все-таки можем независимо менять? Если оно существует, мы обязательно должны выявить его из всех остальных свойств и развивать только его, потому что все остальные будут реализовываться поневоле.

ЧЕТЫРЕ ФАКТОРА

В любом творении существуют четыре определяющих его фактора.

1. Основа – первичный материал данного создания, из которого оно возникло. Неизменные свойства основы – это порядок его развития. Например, разложение зерна пшеницы в земле вызывает появление нового ростка пшеницы, то есть растения того же вида. Зерно разлагается – внешняя его форма полностью исчезает, подобно тому, как наше тело после его смерти разлагается в земле. Но основа пшеницы остается и дает новый побег, подобно тому, как наша душа вынуждает родиться новое тело, чтобы облачиться в него.

2. Неизменные свойства основы. Основа (в данном случае – зерно) никогда не примет форму других хлебных злаков, например, овса, а примет лишь прошлую утраченную форму, то есть форму пшеницы. Возможны определенные изменения в количестве и качестве нового побега. Это зависит от окружающей природы: от почвы, удобрений, влаги, солнца – однако основа формы пшеницы (то есть прежней сути) не претерпевает никаких изменений.

3. Свойства, изменяющиеся под воздействием внешних сил. Под воздействием внешних факторов качественно меняется оболочка сути: зерно остается зерном, но его внешняя форма меняется и зависит от окружающей среды. Дополнительные внешние факторы присоединились к сути и вместе с ней дали новое качество за счет влияния внешней среды. Это может быть солнце, земля, удобрения, влага, дождь – относительно зерна; или общество, группа, книги, учитель – относительно человека.

4. Изменения внешних сил. Человеку необходимо окружение, которое развивается и постоянно влияет на развитие человека. А человек, развиваясь, влияет на окружение, побуждая к росту, что, в свою очередь, вновь поднимает человека. Таким образом человек и его среда параллельно растут.

Этими четырьмя факторами определяется состояние каждого творения. И даже если человек сутки будет проводить в исследованиях, все равно ничего не сможет изменить или добавить к тому, что предоставлено ему этими четырьмя факторами. Как бы мы ни действовали, ни думали, что бы мы ни делали, что бы ни приобретали – все заключается только в этих четырех факторах. Любое добавление, которое человек сможет найти, будет лишь количественной поправкой, вытекающей из накопленных знаний, в то время как качественно здесь абсолютно нечего добавить. Ведь эти факторы в полной мере определяют наш характер, а также форму мышления и выводов.

1. Суть свою человек изменить не может.

2. Законы, по которым меняется его суть, человек изменить не может.

3. Законы изменения его внутренних свойств в зависимости от внешних воздействий человек изменить не может.

4. Окружающую среду, от которой он полностью зависит, человек может изменить!

Если человек в настоящем влияет на изменение окружающей его среды, он определяет этим свое будущее состояние. Окружающая среда может повлиять лишь на качество и количество, то есть на темп развития: пройдет ли человек его с болью, в страхе, в страданиях, в тысячелетиях кровопролитных войн или он пройдет его спокойно, комфортно, поскольку сам стремится к цели. Поэтому каббалисты призывают открывать центры изучения каббалы, чтобы формировать группы – окружение для желающих достичь цели творения.

СВОБОДА ВЫБОРА

Несмотря на то что мы не определяем свою основу, с которой рождаемся, мы можем влиять на три первых фактора выбором своего окружения, каковым являются друзья, книги, учителя. Но после выбора окружения наше будущее состояние уже определяется тем, что способна дать среда.

Изначально существует свобода, позволяющая выбрать среду из таких учителей, книг и товарищей, которые будут вызывать хорошие мысли. Если человек не сделает этого, а будет готов войти в любую случайную среду, читать случайную книгу, то, конечно, попадет в плохое окружение или будет проводить время за чтением бесполезных книг (их больше, и они намного приятнее). В результате он обязательно получит плохое образование, что приведет к неверному поведению в жизни.

Отсюда понятно, что наказание или вознаграждение приходят к человеку не за плохие мысли и дела, в которых у него нет выбора, а за то, что он не выбрал хорошее окружение, так как в этом, безусловно, есть возможность выбора. Судить и наказывать человека надо так, чтобы он понял, что его судят не за сам проступок, а за выбор неправильного окружения.

Поэтому человек, прилагающий усилия в своей жизни и каждый раз выбирающий лучшую среду, удостаивается успеха не за хорошие мысли, возникающие у него произвольно, а за старание выбрать каждый раз лучшее окружение, приводящее его к этим мыслям. Человек, выбирающий каждый раз лучшую среду, достигает награды – своего следующего, лучшего, более продвинутого состояния.

Книга Зоар приводит в пример бедного мудреца, которому богач предложил переехать к нему. На что услышал отказ:

– Ни на каких условиях я не поселюсь в месте, где нет мудрецов!

– Но ведь ты – самый большой мудрец поколения! – воскликнул богач. – У кого тебе еще учиться!

И услышал в ответ, что если даже такой большой мудрец поместит себя среди неучей, то сам в скором времени станет подобен им.

Поэтому надо поступать по известному указанию: «Сделай себе учителя и обрети себе товарища». То есть создай себе окружение, потому что только выбор окружения может принести успех человеку. Ведь после того как человек выбрал окружение, он отдан в его руки, как глина в руки ваятеля.

Мы находимся в плену эгоистической природы. Выйти из-под ее власти, означает прийти к ощущению Высшего мира. Поскольку мы всецело пребываем во власти этого мира, средство для выхода из-под его власти заключается в том, чтобы создать вокруг себя вопреки нашей естественной эгоистической среде искусственную среду, группу, стремящуюся сообща выйти из-под власти эгоистического окружения и попасть под власть окружения, руководствующегося законом Высшего мира.

Нашей свободной реализацией является освобождение от влияния эгоистического окружения, и выявление в себе свойство отдачи. А само свойство отдачи дает возможность человеку реализовать его свободу выбора.

ЗАЩИТА ОТ ТРЕХ ОСТАЛЬНЫХ ФАКТОРОВ

Человек автоматически действует под влиянием заложенных в нем внутренних факторов и под воздействием извне. Если человек желает выйти из-под такого управления природой, он должен подставить себя под управление избранной им окружающей среды. То есть, он должен выбрать учителя, группу, книги, которые диктовали бы ему, что он должен делать. Ведь человек всегда является производным четырех параметров, о которых говорилось выше.

ВЛАСТЬ РАЗУМА НАД ТЕЛОМ

Разум человека является следствием анализа жизненных ситуаций, отражением событий и обстоятельств, с которыми он сталкивается. Правильное использование разума заключается в приближении к полезному и отдалении от вредного. Человек пользуется разумом так же, как глаза микроскопом: после того как с помощью микроскопа человек обнаруживает вредящие ему мельчайшие организмы, он защищается от них. Таким образом, микроскоп, а не ощущение, позволяет избежать вреда там, где вредитель (микроб, бактерия, вирус) не ощущается.

Мы видим, что там, где тело не в состоянии распознать вред или пользу, возникает необходимость в разуме, и он полностью властвует над телом человека, позволяя избегать плохого и приближаться к хорошему.

В мере понимания, что разум есть следствие жизненного опыта, человек готов принять как закон разум и мудрость другого человека, которому доверяет. Это похоже на то, как человек спрашивает совета у врача и выполняет этот совет. Несмотря на то что ничего не понимает в медицине, он доверяет разуму врача. Таким образом, он пользуется разумом других, что помогает не меньше, чем его собственный разум.

ДВА ПУТИ УПРАВЛЕНИЯ

Существуют два пути управления, которые гарантируют человеку достижение цели творения:
• путь страданий;
• путь каббалы.

Путь каббалы состоит в том, чтобы мы доверились разуму мудрецов, уже постигших цель творения, как своему собственному жизненному опыту. Но как я могу быть уверен, что разум, которому я сейчас готов довериться, действительно истинный? А с другой стороны, если я не использую разум мудреца, как совет врача, то обрекаю себя на долгий путь страданий, подобно больному, который отказывается от совета врача и начинает сам изучать медицину. Ведь он болен и может умереть от болезни, прежде чем успеет сам изучить эту науку. Таков путь страданий по сравнению с путем каббалы: тот, кто не принимает мудрости каббалы, может пытаться достичь этой мудрости сам, проходя страдания. Использование опыта каббалистов многократно ускоряет процесс, позволяющий ощутить зло и отдалиться от него к хорошему окружению, которое побуждает человека к правильным мыслям и делам.

СЛЕДОВАТЬ ЗА БОЛЬШИНСТВОМ

Всюду, где возникает разногласие между индивидуумом и большинством, мы обязаны принять решение в соответствии с желанием большинства. Но этот закон возвращает человечество назад, ведь большинство – неразвито, а развитые – всегда составляют малочисленное меньшинство.

Поскольку природа определила нам жить в обществе, мы обязаны выполнять все его законы. Иначе природа взыщет с нас, независимо от того, понимаем мы смысл ее законов, или нет. Закон следования правилам человеческого общежития – один из естественных законов природы, и мы обязаны его соблюдать со всей осторожностью, совершенно не принимая в расчет наше понимание.

Смысл этого закона в том, чтобы развить в нас осознание:
• любви к себе как зла;
• любви к другому как добра.

Это единственный способ перейти к любви к Творцу.

Но нет никакого права у большинства отменить мнение индивидуума в его отношениях с Творцом. Здесь каждый свободен поступать так, как считает правильным. В этом и есть его свобода личности. То есть отношения человека с Творцом регулируются самим человеком, в то время как остальные законы поведения регламентируются правилом «следовать за большинством».

В обществе действует закон «меньшинство подчиняется большинству»

Однако на каком основании большинство взяло на себя право подавлять свободу личности и лишать ее самого дорого, что есть у нее в жизни – ее свободы? Ведь на первый взгляд, нет тут ничего, кроме насилия?

Поскольку природа обязала нас жить в обществе, то само собой разумеется, что каждому члену общества вменяется в обязанность служить обществу, заботиться о его существовании и способствовать его процветанию. А это возможно лишь при исполнении закона «подчинения меньшинства большинству». То есть не может каждый человек действовать как захочет – он обязан подчиняться тому закону, который в данном обществе принят. Но совершенно ясно, что во всех тех случаях, когда не затрагиваются интересы материальной жизни общества, нет никакого права и оправдания у большинства ограничивать и ущемлять в какой бы то ни было степени и форме свободу индивидуума. Те, кто делает это, – преступники, ставящие силу выше справедливости. Ибо в данном случае природа не обязывает личность подчиняться желанию большинства.

В духовной жизни действует закон «большинство следует за личностью»

В любом поколении индивидуумы более развиты. И если общество осознает необходимость избавиться от страданий, начав развиваться по законам природы, а не по собственному желанию, оно обязано подчинить себя индивидууму и следовать его указаниям. Таким образом, в том, что касается духовного развития, право большинства становится его долгом, и действует закон следования за индивидуумом, то есть за развитой личностью. Ведь развитые и образованные личности составляют незначительную часть общества, а значит, успехи и достижения общества в духовной сфере определяются меньшинством. Исходя из этого, общество обязано беречь идеи этих личностей, дабы не исчезли из этого мира. Обществу желательно знать, что его спасение зависит не от властвующего большинства, а именно от особо развитых индивидуумов.

Послесловие

Накапливая опыт, человечество постепенно все больше убеждается, что, несмотря на все его попытки изменить течение истории и развитие общества в определенном направлении, жизнь берет свое, и все происходит по сценарию от нас не зависящему. Неужели рок довлеет над нами?

Изучение мироздания каббалистическим методом раскрывает нам, что сущность венца творения – человека – состоит из трех частей:

• Первая часть – животная, проявляющаяся в телесных желаниях пищи, секса, семьи, крова – желаний, не зависящих от общества.

• Вторая часть – человеческая, выражающаяся в желаниях богатства, почестей (славы, власти), знаний – того, в чем мы зависим от общества.

•Третья часть – духовная, рождающая желание к Высшему. Оно возникает в нас из страха смерти, ощущения незавершенности жизни, неизвестности ее смысла и источника ее происхождения.

Человек рождается в этом мире, чтобы в течение жизни раскрыть для себя Высший мир. Тогда он существует в обоих мирах и после смерти тела ощущает духовный мир в той мере, в которой постиг его при жизни в теле. Если в течение своего пребывания в этом мире человек не достиг Высшего мира, его душа вновь нисходит в этот мир и облачается в биологическое тело именно для этой цели. Раскрыть Высший мир душа может лишь будучи облаченной в тело.

Из этого понятно, что:

• Весь этот мир и наше пребывание в нем предназначены только для того, чтобы мы в течение жизни раскрыли Высший мир.

• Животная и человеческая части в нас не существуют сами по себе. Их роль определяется лишь той мерой, в какой они способствуют реализации третьей, духовной части, то есть реализации своей миссии, которая и состоит в развитии стремления к Высшему, в раскрытии Высшего мира, пока мы пребываем в этом мире. Все действия человека оцениваются только в мере их связи с его духовным продвижением, потому что именно духовная его часть должна пройти изменения.

• Животная и человеческая части в нас изменяются не сами по себе, и не в зависимости от наших желаний, а только в мере необходимости реализации третьей, духовной части.

• В реализации животных и человеческих желаний мы лишены свободы воли, они жестко заданы в нас природой, составляя жесткий каркас нашего строения. Выбирая же поступки в своем духовном развитии, мы определяем тем самым все остальные наши состояния в животной и человеческой части и, конечно же, духовной части.

• Отказываясь от бесплодных действий, связанных с телесными и человеческими желаниями, и концентрируя свои усилия на раскрытии Высшей природы, Высшего управления, человек тем самым получает возможность управлять всем в этом мире. Иными словами, путь к управлению этим миром лежит через Высший мир. И это понятно: ведь из Высшего мира нисходят к нам все сигналы управления, все события предстают перед нами в законченном виде. Поэтому отказ от реализации своих желаний через этот мир, отказ от бесплодных попыток наполнения в этом мире – это отказ от бесплодных попыток изменить свою судьбу. А раскрытие Высшего мира означает включение в общее управление мирозданием.

Изложенные доводы каббалистов показывают, насколько все поступки человека и его состояния в этом мире предопределены. Все, кроме одного, которое определяет остальные – кроме устремления к Высшему миру, к его раскрытию, к овладению законами Высшего управления.

МИР В МИРЕ

Самый главный вопрос человечества – это вопрос связи, взаимодействия с Высшей силой. Как обнаружить, что она существует? Как понять, почему она скрыта от нас? Как настроить себя на контакт с ней?

Соприкоснувшись с Высшей силой, мы станем интегральной частью мира и окажемся в состоянии вечном и совершенном, как сама природа. Это и есть практическое применение каббалы. Она объясняет, как обнаружить и развить в себе желание, устремленное к Творцу, потребность найти Его.

Что нам для этого надо? Поддержка, уверенность в пути, осознание текущего несовершенства и устремление к финальному совершенству, к полноценному контакту с Творцом, благодаря которому в мире наступит настоящий мир.

От редакции

Все оценивается не по тому, как выглядит в определенный момент, а по степени своего развития.

У всего существующего в действительности, и хорошего, и плохого, и даже наихудшего и самого вредного в мире, есть право на существование. Никакое явление нельзя истреблять и уничтожать. На нас возложена задача лишь исправить его и возвратить к Источнику.

Даже одного внимательного взгляда на процесс творения достаточно, чтобы прийти к осознанию величия и совершенства действия и Совершающего его. Мы должны понимать это и остерегаться пренебрежения любой частью творения под тем предлогом, что она кажется лишней и бесполезной. Ведь тем самым мы пренебрегаем действием сотворения.

Однако, как известно, Творец не завершил творение в момент его создания. Поэтому мы видим в предстающей перед нами действительности, что она, как в общем, так и в частном, находится под властью законов ступенчатого развития, начиная со стадии, предшествующей зарождению, и до стадии завершения роста. По этой причине, когда мы ощущаем горький вкус плода в начале его развития, мы не воспринимаем это как порок или изъян плода, ведь плод еще не завершил процесс своего развития. Так и по отношению к остальным элементам действительности: если что-то кажется нам плохим и приносящим вред, то это является ничем иным, как свидетельством того, что этот элемент все еще находится на переходной стадии в процессе своего развития. Поэтому мы не вправе выносить решение, что он плох, и пренебрегать им, так как не от мудрости это.

Несостоятельность «исправителей мира»

Отсюда мы поймем несостоятельность «исправителей мира», живших в каждом поколении. Они рассматривают человека как машину, которая не работает как положено и нуждается в исправлении, то есть в изъятии неисправных частей и замене их другими, исправными.

Исправители мира нацелены на то, чтобы искоренить в роде человеческом все зло и все, что приносит вред. Если бы Творец не противостоял им, они давно успели бы просеять человечество, как сквозь сито, и оставить в нем исключительно хорошее и приносящее пользу.

Однако Творец тщательно охраняет каждую частичку в Своем творении и никому не позволяет уничтожать что-либо из того, что находится в Его власти. Можно лишь исправить ее и обратить во благо, как сказано выше. В соответствии с этим, все подобного рода исправители мира исчезнут с лица земли, а зло в мире – нет. Оно существует и отсчитывает число ступеней развития, которые обязаны будут пройти все элементы творения, пока не созреют окончательно.

Тогда плохие свойства сами превратятся в свойства добрые и полезные, какими изначально и задумал их Творец. Это подобно плоду, висящему на ветвях дерева, ожидающему и отсчитывающему дни и месяцы, которые должны миновать, пока он не достигнет спелости, и тогда каждому человеку раскроется его вкус и сладость.

УСКОРЕНИЕ ИСПРАВЛЕНИЯ ПРИРОДЫ

Упомянутый закон развития, распространяющийся на всю действительность и гарантирующий возвращение всего злого к доброму и полезному, воздействует неотвратимо, не спрашивая мнения населяющих землю людей. Вместе с тем, Творец дал человеку разум и власть и позволил ему взять закон развития под свой контроль. Человек может ускорить процесс развития по своему желанию, свободно и совершенно независимо от течения времени.

Получается, что существуют две власти, действующие в процессе развития.

• «Власть небес», гарантирующая возвращение всего злого и приносящего вред к доброму и полезному, однако «в свое время» – путем медленным и болезненным. При этом «объект развития» испытывает боль и ужасные страдания, находясь под катком развития, подминающим его под себя с невероятной жестокостью.

• «Земная власть» – это власть людей, овладевших упомянутым законом развития. Совершенно освобождаясь от пут времени, люди значительно ускоряют свое созревание и исправление, достигая конечной стадии развития.

Если люди овладеют законом развития, то удостоятся «земной власти». Это означает, что люди сами должны выяснить и исправить свои отрицательные свойства, обращая их в положительные. Тогда они полностью освободятся от ограничений времени, и с этого момента достижение высшей ступени развития зависит от их желания, то есть лишь от качества действия и внимательности. Так люди ускоряют приближение конечной стадии своего развития.

Если люди не удостоятся взять в свои руки исправление собственных плохих свойств, а оставят эту работу власти небес, в этом случае им тоже гарантировано окончательное избавление и исправление. На это есть полная гарантия власти небес, действующей по закону постепенного развития от ступени к ступени, пока не обратится все дурное и вредоносное в хорошее и полезное, подобно плоду на дереве. Завершение развития и в этом случае абсолютно гарантировано, но в свой срок. То есть оно становится зависимым от времени и полностью привязано к нему.

В соответствии с законом ступенчатого развития человек обязан пройти множество различных ступеней на пути к конечному исправлению. Процесс этот трудный и очень медленный, растягивающийся на очень долгое время. А поскольку обсуждаемый нами «объект развития» – это живые и чувствующие существа, то на ступенях этого развития, они вынуждены получать ужасные страдания. Ведь действующая на каждой ступени подталкивающая сила, поднимающая человека с низкого уровня на более высокий, является не чем иным, как напором боли и страданий, которые накапливаются на низшем уровне до такой степени, что их невозможно вынести. Страдания вынуждают людей оставить ступень, на которой они находятся, и подняться на ступень более высокую.

Завершение исправления, гарантированное людям согласно закону постепенного развития, наступает «в свой срок», то есть связано узами времени. А если люди возьмут развитие собственных свойств в свои руки, то обеспеченное им исправление наступает по принципу «ускорю», то есть совершенно не зависит от времени.

Добро и зло оцениваются по действиям индивидуума в отношении общества

Прежде чем приступить к исследованию исправления зла во всем роде человеческом, мы должны установить ценность абстрактных понятий: добра и зла. Другими словами, при определении действия или свойства категорий добра и зла, нужно выяснить, в отношении кого это свойство или действие является добром или злом.

Чтобы понять это, нужно хорошо знать, какова относительная ценность частного по сравнению с целым, то есть, индивидуума по отношению к обществу, в котором он живет и от которого питается как материально, так и духовно.

Действительность показывает нам, что у индивидуума совершенно нет права на существование, если он изолирует себя и не имеет достаточно большого общества, которое обслуживало бы его и помогало бы в обеспечении его потребностей. Отсюда следует, что изначально человек создан для жизни в обществе, и каждый индивидуум в обществе – как шестеренка в системе единого механизма, в котором у одного колесика, отдельной единицы, нет свободы движения.

Оно вовлечено в общее движение в заданном направлении для того, чтобы сделать механизм пригодным для выполнения общей задачи. И если произойдет какая-то поломка, она не рассматривается как поломка одной этой шестеренки. Она оценивается с точки зрения его роли и назначения во всем механизме.

В обществе, как с точки зрения истины, так и с точки зрения добра, степень ценности или ущербности каждого из индивидуумов также определяется не тем, насколько он хорош или плох сам по себе, а мерой его служения обществу в целом. Поскольку в общем есть лишь то, что есть и в частном, и общая польза является пользой каждого, то приносящий вред общему, наносит вред и самому себе. А приносящий пользу общему, получает свою долю пользы и для себя, поскольку частности являются частью общего. И нет у общего большей ценности, чем сумма составляющих его частностей.

Притом, что индивидуум и общество неразрывно связаны, индивидуум не страдает от того, что он подчинен обществу, поскольку свобода общества и индивидуума взаимно обусловлены. Причем, учитывая, что и хорошие, и плохие свойства и действия индивидуума оцениваются лишь в соответствии с их пользой обществу, мера добра в индивидууме и обществе соответствует мере свободы.

Разумеется, сказанное относится лишь к индивидуумам, полностью выполняющим свои обязанности перед обществом, когда они получают не больше необходимого и не посягают на долю других. Но если в действительности часть людей на практике не выполняет это условие, то они наносят вред не только обществу, но и самим себе. При этом проявляется необходимость исправления человека и осознание каждым человеком общего принципа: «Личная польза и польза общества – неразделимы. Только реализуя это условие, мир придет к своему полному исправлению».

ЧЕТЫРЕ КАТЕГОРИИ: «МИЛОСЕРДИЕ», «ПРАВДА», «СПРАВЕДЛИВОСТЬ», «МИР» – В ОТНОШЕНИИ ИНДИВИДУУМА И ОБЩЕСТВА

После того как мы выяснили, что представляет собой благо в своем истинном виде, мы должны разобраться, с помощью каких средств мы можем ускорить достижение добра и счастья.

Для того чтобы прийти к этой цели, в нашем распоряжении имеется четыре категории: «милосердие», «правда», «справедливость» и «мир». С помощью этих четырех категорий Высшее управление постепенно развивает человечество вплоть до его нынешнего состояния.

Мы уже говорили, что лучшее решение для человека – овладеть законом развития и взять управление развитием в свои руки. Тогда он избавит себя от огромных страданий, которые история готовит в будущем.

Проанализируем эти четыре категории, с помощью которых осуществляется Высшее управление, чтобы выяснить, к каким результатам привело их использование на сегодня и как они могут использоваться наилучшим образом в будущем.

ПРАКТИЧЕСКИЕ ТРУДНОСТИ В УСТАНОВЛЕНИИ «ПРАВДЫ»

Теоретически, нет лучшей категории, чем «правда». Учитывая зависимость, существующую между индивидуумом и обществом, «правда» – это не что иное как ощущаемое индивидуумом благо, когда он отдает, то есть полностью выполняет возложенную на него функцию в отношении всего общества, и получает от общества свою часть по справедливости.

«Правде» всегда востребована, но на практике это качество совершенно не принимается обществом. Необходимо исследовать, что представляет собой практический недостаток, не позволяющий обществу принять эту категорию управления. Глубокое исследование практической значимости категории «правда» приводит к выводу, что она очень сложна для практического применения.

По существу, использование категории «правда» обязывает так уравнять всех индивидуумов в обществе, чтобы каждый получал свою часть в соответствии с приложенными им усилиями. Это единственная реальная основа отношений между людьми, в которой не приходится сомневаться. Ведь очевидно, что действия каждого, кто хочет извлечь пользу для себя из усилий другого, противоречат категории «правда» и здравому смыслу.

Как сделать так, чтобы категория «правда» была принята всем обществом? Если использовать понятные всем критерии оценки, например, количество отработанных часов, и обязать всех работать одинаковое время, категория «правда» все равно не будет реализована. Неприкрытая ложь проявится с двух сторон: со стороны физического состояния работника и с точки зрения его морального состояния.

Совершенно естественно, что все не могут работать одинаково. Всегда найдется такой человек, который вследствие собственной слабости прилагает за час работы намного большие усилия, чем другой человек за два часа.

Существует и психологическая проблема, так как по природе своей ленивый человек за один час тоже прилагает большие усилия, чем другой человек за два часа. Но используя лишь категорию «правда», нельзя обязать одну часть общества прилагать усилия большие, чем прилагает другая часть общества в целях обеспечения жизненно необходимого.

На практике получается, что сильные и предприимчивые по натуре члены общества, получают выгоду от усилий, прилагаемых другими, и злонамеренно эксплуатируют их, что вступает в противоречие с категорией «правда». Ведь сами они прилагают незначительные усилия по сравнению со слабыми и ленивыми членами общества.

Принимая во внимание естественный для жизни человека в обществе закон подчинения меньшинства большинству, мы также убеждаемся, что такое использование категории «правда», когда за основу принято фактическое количество часов работы, совершенно неприемлемо. Ведь слабые и ленивые всегда составляют большинство в обществе, и они не позволят сильным и предприимчивым, составляющим меньшинство, воспользоваться их усилиями.

Итак, мы не можем считать категорию «правда» решающим фактором, определяющим пути развития индивидуума и общества. Только с ее помощью нельзя построить общественные отношения в окончательно исправленном мире.

С еще большими трудностями в применении категории «правда» мы столкнемся, если примем во внимание, что каждый человек, базирующейся по своей природе на свойство единственности Творца, ощущает себя властителем в мире. Человек ведет себя так, как будто весь мир создан только для того, чтобы облегчить и улучшить его жизнь. При этом он не ощущает со своей стороны никакой обязанности давать что-нибудь взамен.

Иначе говоря, в природе каждого человека – использовать все творения в мире для собственной пользы. При этом даже если он отдает что-то ближнему, то делает это вынужденно. По-существу, отдавая, человек использует ближнего для своей пользы, только делает это ухищренно.

Смысл сказанного в том, что природа каждой ветви близка к своему корню. И поскольку душа человека исходит из Единственного и Единого властвующего над всем Творца, то человек чувствует, что все творения мира должны находиться под его властью и созданы ради его личной пользы. Это – непреложный закон.

При этом люди отличаются друг от друга лишь тем, что один выбирает использование творения для достижения низменных наслаждений, другой – для достижения власти, а третий – для достижения почета. Более того, каждый человек согласился бы использовать мир для достижения всего вместе: и богатства, и власти, и почета, если бы это не стоило огромных усилий. Поэтому человек вынужден выбирать цель в соответствии со своими возможностями и способностями.

Можно сказать, что «закон единственности» властвует над сердцем человека. Никто не может избежать его влияния, каждый получает свою часть, великий – в соответствии со своим величием, малый – в соответствии со своей малостью.

Свойство единственности, присущее природе каждого человека, само по себе не хорошее и не плохое. Оно – природная реальность, и у него есть право на существование, как и у любой части творения. Нет ни малейшей надежды на то, чтобы отменить его или хотя бы немного смягчить его проявление, как нет возможности уничтожить весь род человеческий. Мы совершенно не покривим душой, если скажем об этом свойстве, что оно представляет собой «абсолютную правду».

Неумолимое воздействие свойства единственности исключает сомнения в том, что в человеческой природе нет ничего более далекого от равенства с другими людьми. Как же можно убедить индивидуума руководствоваться категорией «правда», сулящей ему равенство со всеми членами общества, когда по своей природе он устремлен возвыситься над всем обществом?

Мы приходим к выводу, что нельзя рассчитывать на всеобщую поддержку использования категории «правда», которая совершенно не позволяет сделать счастливой как жизнь индивидуума, так и жизнь общества.

Использование в управлении категорий «Милосердие», «Справедливость» и «Мир»

Обратимся к трем другим категориям – «милосердие», «справедливость» и «мир», призванных оказать поддержку категории «правда», позиции которой очень слабы в нашем мире. После включения этих категорий управления человечество начало свое медленное, ступенчатое движение к обустройству жизни общества.

Теоретически все члены общества согласились и безоговорочно приняли на себя управление категории «правда», но на практике повели себя абсолютно противоположно ее принципам. С тех пор понятию «правда» выпала судьба быть использованной самыми лживыми людьми. Невозможно разглядеть даже ее малейшие признаки в действиях и слабых, и праведников.

Поскольку люди не смогли вести себя в соответствии с категорией «правда», в обществе увеличилось количество слабых и эксплуатируемых. Тогда, чтобы в интересах всего общества обязать сильных и удачливых помогать слабым, относиться к ним снисходительно, милосердно и с состраданием, были востребованы категории «милосердие» и «справедливость».

Но природа человека такова, что в таких условиях количество слабых и обездоленных резко возрастает, и они становятся угрозой для сильных. Это приводит к столкновениям и раздорам. По этой причине стала востребованной категория «мир».

Категории «милосердие», «справедливость» и «мир» появились и получили свое развитие вследствие слабости категории «правда». Общество разделилось на группы. Одни приняли за основу категорию «милосердие», то есть сострадание, жертвование другим части своего имущества, а другие – категорию «правда», то есть принцип «мое – мое, твое – твое».

Эти две группы можно разделить так же на «строителей» и «разрушителей». «Строители» – это те, кто заботятся о благе общества и готовы ради этого поделиться с другими своим имуществом.

«Разрушителям», по природе своей склонным к разрушению, удобна категория «правда», то есть принцип «мое – мое, твое – твое». «Разрушители» не готовы ни на какие жертвы ради других, даже если все общество находится под угрозой существования.

НАДЕЖДА НА МИР

Когда внешние условия привели группы «разрушителей» и «строителей» к противостоянию, и возникла угроза их существованию, в обществе появились «миротворцы». Они отвергали силу и предлагали новые, справедливые с их точки зрения принципы жизни общества – принципы сосуществования. Однако «миротворцы», появившиеся вследствие разногласий, происходят, как правило, из числа «разрушителей», то есть, сторонников категории «правда», руководствующихся принципом «мое – мое, твое – твое».

Будучи сильными и предприимчивыми, «разрушители» ради самоутверждения готовы рисковать даже собственной жизнью и жизнью всего общества, если общество не согласится с их мнением. Тогда как «строители», сторонники сострадания и милосердия, для которых высшей ценностью является собственная жизнь и жизнь общества, не готовы подвергать опасности себя и общество ради того, чтобы общество согласилось с их точкой зрения. Ведь они всегда принадлежат к слабой части общества, трусливы и малодушны. Смелые и рискующие всегда одерживают верх, поэтому, естественно, что «миротворцы» вышли из среды «разрушителей», а не «строителей».

Мы приходим к выводу, что надежда на мир остается призрачной, поскольку мир не представляет никакой ценности ни для «субъекта», ни для «объекта».

Ведь «субъектами» в каждом поколении являются «миротворцы», призванные установить мир во всем мире. «Миротворцы» созданы из человеческого материала, который мы называем «разрушителями». Они являются сторонниками категории «правда», то есть стремятся в основу мира заложить принцип «мое – мое, твое – твое». Отстаивая свое мнение, эти люди готовы подвергнуть опасности свою жизнь и жизнь общества в целом. Такая решительность всегда дает им силу одержать победу над человеческим материалом, называемым «строителями», поборниками милосердия и сострадания, будучи трусливыми и малодушными, готовыми поделиться своим благом ради блага других в целях сохранения мира.

Выясняется, что требование правды адекватно разрушению мира, а потребность в милосердии адекватно миротворчеству. Поэтому нельзя надеяться на то, что разрушители приведут к установлению мир во всем мире.

Не дает никакой надежды на мир и «объект», то есть, сами условия существования мира, так как все еще не созданы условия для счастливой жизни индивидуума и общества в соответствии с категорией «правда», к которой стремятся «миротворцы». Ведь всегда есть и будет существовать немногочисленная, но важная часть общества, которая недовольна предлагаемыми ей условиями, как мы уже показали выше, говоря о слабости категории «правда». Эти люди представляют собой готовый материал для новых инициаторов раздоров и для новых «миротворцев», сменяющих друг друга в каждом поколении.

МИР ДЛЯ ОПРЕДЕЛЕННОГО ОБЩЕСТВА И МИР ДЛЯ ВСЕГО МИРА

Мы приходим к осознанию того, что мир в отдельном обществе обусловлен миром во всем мире. Человечество достигло такого уровня развития, что весь мир становится одним обществом, одним народом, Каждый человек в мире вынужден заботиться о благе всего мира и служить ему вследствие того, что обеспечивает свое существование за счет всего человечества.

Выше мы уже доказали абсолютную зависимость индивидуума от общества, сравнив человека с маленькой шестеренкой в машине. Жизнь и благополучие индивидуума зависят от общества, и таким образом, общественное благо и личное благо неразрывно связаны. Справедливо и обратное. Соответственно, в той мере, в которой человек подчинен заботам о собственном благе, он непременно становится подчинен и обществу.

Общество определяется для индивидуума сферой, из которой он получает необходимое. Например, в древние времена эта сфера определялась одной семьей. Человек не нуждался ни в какой другой помощи, кроме как от членов своей семьи, и, разумеется, не зависел ни от кого другого.

В более поздний период, когда семьи стали жить вместе, человек стал зависим от своего поселения или города. Впоследствии, когда города и поселки объединились в страны, благосостояние человека стали обеспечивать все жители страны, и таким образом он стал зависеть от всех своих сограждан.

В нашем поколении благосостояние каждого человека обеспечивается людьми всего мира. В той же мере человек непременно зависит от всего мира, подобно шестеренке в машине. Поэтому немыслимо прийти к идеальному общественному устройству и счастливой жизни в одной стране, если это не будет сделано во всех странах мира. Нужно искать справедливые пути, обещающие мир для всего мира. Ведь мера получаемого блага или зла любым человеком в мире зависит от меры блага или зла каждого индивидуума во всем мире и определяется ею.

Несмотря на то, что всеобщая взаимозависимость ощущается в достаточной мере, человечество все еще не осознает это должным образом. Низкий уровень осознания этого явления объясняется тем, что в соответствии с законами природного развития действие всегда предшествует осознанию явления. Поэтому только реальные действия подтолкнут человечество вперед в осознании тотальной зависимости всех от всех.

В ДЕЙСТВИТЕЛЬНОСТИ ЧЕТЫРЕ КАТЕГОРИИ ПРОТИВОРЕЧАТ ДРУГ ДРУГУ

Четыре описываемых категории — «милосердие», «правда», «справедливость» и «мир», изначально присущие каждому человеку в определенном сочетании, все сильнее проявляются и противоречат друг другу по мере его развития и в зависимости от воспитания.

Если мы рассмотрим категорию милосердия в абстрактной форме, то обнаружим, что она противоречит всем остальным категориям. В соответствии с законами милосердия другим категориям просто нет места в нашем мире.

Милосердие представляет собой условие: «мое — твое, твое — твое». Если бы все человечество вело себя в соответствии с этой категорией, то исчезли бы все великолепие и ценность того, что заключается в категориях «правда» и «справедливость». Ведь если бы каждый по природе своей был готов отдать ближнему все, что у него есть и ничего не получать от него, то исчез бы фактор, заставляющий лгать другому человеку.

Но если бы не было в мире «лжи», то не существовало бы и понятия «правда», так как категории «правда» и «ложь» зависят друг от друга. При этом исчезли бы и остальные категории, которые появились только для того, чтобы укрепить категорию «правда» вследствие присущей ей слабости.

Категория «правда» с ее базовым принципом «мое – мое, твое – твое», вступает в противоречие с категорией «милосердие», совершенно не терпит ее. С точки зрения категории «правда» принцип «трудиться и помогать ближнему» неверен, поскольку такой подход портит человека, приучая его эксплуатировать ближнего. А кроме того, правда утверждает, что каждый обязан копить на черный день, чтобы не быть вынужденным пасть бременем на ближнего в тяжелое время.

Кроме того, у человека всегда есть родственники или наследники его имущества, которые согласно принципу категории «правда» имеют приоритетное право на его имущество перед остальными. Естественным образом получается, что человек, раздающий свое имущество другим, выступает лжецом по отношению к родственникам и наследникам, если ничего им не оставляет.

Категории «мир» и «справедливость» также противоречат друг другу. Ведь для того чтобы установить мир, в обществе должны соблюдаться определенные условия, которые позволят разбогатеть умным и энергичным, затрачивающим усилия и применяющие свои способности, а лентяям и непрактичным людям – быть неимущими. Таким образом, энергичный получит свою долю, а также долю своего ближнего – лентяя, и будет наслаждаться лучшей жизнью, а ленивые и непрактичные станут нищими и не смогут удовлетворить даже свои насущные нужды.

Разумеется, несправедливо так тяжело наказывать ленивых и непрактичных. В чем заключается прегрешение и преступление этих несчастных, если Высшее управление не наделило их проворством и умом? За что наказывать их страданиями, которые тяжелее смерти? Получается, что если справедливость является условием установления мира, то категория «мир» противоречит категории «справедливость».

В то же время категория «справедливость» противоречит категории «мир». Ведь если установить порядок раздела имущества в соответствии с принципом справедливости, то есть передать ленивым и непрактичным значительные ценности, то сильные и инициативные, безусловно, не будут знать покоя и отдыха, пока не отменят практику, подчиняющую слабым сильных и энергичных и приводящую к их эксплуатации. Поэтому использование категорий «милосердие», «правда», «справедливость» и «мир» не оставляют никакой надежды на мир в обществе.

ДЕЙСТВИЕ СВОЙСТВА ЕДИНСТВЕННОСТИ В ЭГОИЗМЕ – РАЗРУШЕНИЕ И УНИЧТОЖЕНИЕ

Мы рассмотрели, как свойства человека сталкиваются и противоборствуют друг с другом не только между отдельными группами, но и в каждом человеке. Четыре категории, присущие человеку, владеют им одновременно или попеременно и ведут между собой такое сражение, что здравый смысл не может выстроить какой-то порядок и привести их к полному согласию.

Источником смешения категорий, царящих в нас, является не что иное, как свойство единственности, присутствующее в каждом из нас в большей или меньшей степени.

Мы выяснили, что в нем заложен высокий, красивый и величественный смысл, поскольку свойство это дано нам прямо от Творца – единственного, являющегося корнем всех творений. Вместе с тем, когда ощущение единственности соединяется с нашим узким эгоизмом, действие его становится разрушительным. Оно стало источником всех несчастий мира, как произошедших, так и будущих.

Нет ни одного человека в мире, свободного от этого свойства, а все отличия между людьми определяются лишь способами его использования: для удовлетворения сердечной страсти, достижения богатства, власти или почета. Этим творения и различаются между собой.

Однако все творения мира схожи в том, что каждый стремится использовать всех остальных ради собственной выгоды, применяя все имеющиеся в его распоряжении средства и совершенно не учитывая, что он строит свое благополучие на разрушении достояния ближнего. И неважно, какие оправдания каждый придумывает для себя, так как «желание руководит мыслью», а не «мысль – желанием». И еще дело в том, что насколько человек более развит и исключителен – настолько больше и острее он ощущает свою единственность.

ИСПОЛЬЗОВАНИЕ ЕДИНСТВЕННОСТИ КАК СРЕДСТВА РАЗВИТИЯ ИНДИВИДУУМА И ОБЩЕСТВА

Попытаемся выяснить, какие условия в итоге будут приняты человечеством с наступлением мира во всем мире. В чем заключается положительная сила, которая обеспечит счастливую жизнь индивидууму и обществу? В чем выражается готовность человечества в конечном итоге пожелать принять на себя исполнение этих особых условий?

Вернемся к свойству единственности в сердце каждого человека, которое пробуждает желание поглотить всех и вся ради себя. Его корень исходит из свойства единственности Творца и связан с людьми, являющимися Его ветвью.

Неизбежно возникает вопрос, требующий ответа: почему это чувство раскрывается в нас в настолько испорченной форме, что становится основой всего вредоносного и разрушительного в мире? Как Источник, распространяющийся и порождающий все живое, превращается в источник всех разрушений? Невозможно оставить этот вопрос без ответа.

Дело в том, что у свойства единственности есть две стороны. Если смотреть на него с точки зрения достижения подобия свойству единственности Творца, то оно лишь побуждает «отдавать ближнему». У Творца нет свойства получения, так как Он ни в чем не имеет недостатка и не нуждается в получении чего-либо от своих творений. Поэтому и свойство единственности в человеке, являющаяся продолжением в нем свойства Творца, обязано реализовываться в форме «отдачи ближнему», альтруистически – а не путем эгоистического получения ради себя.

С другой стороны, мы находим, что с точки зрения практического действия этого свойства, оно действует совершенно противоположным образом, эгоистически – лишь с намерением «получить ради себя». Оно реализуется в желании быть самым богатым и знатным – единственным в мире. Таким образом, две эти стороны противоположны друг другу и далеки друг от друга, как восток от запада.

Мы приходим к ответу на вопрос о том, каким образом свойство единственности, исходящее из свойства Творца, Источника всего творения, проявляется в нас как источник разрушения. Это происходит потому, что мы используем это драгоценное средство с противоположным намерением – получить ради себя.

Неверно утверждать, что наше свойство единственности никогда не проявится в форме отдачи ближнему. Ведь мы не отрицаем, что есть среди нас люди, желающие поделиться с ближним. Они отдают свое имущество и свои достижения на благо общества. Однако это две стороны одной медали, и говорят они лишь о двух точках развития творения до его совершенного состояния. Начиная со стадии, предшествующей зарождению, творение поднимается и постепенно восходит по ступеням развития, от одной ступени к другой, более высокой, пока не достигает своего высшего предназначения – изначально предопределенного совершенства, в котором оно останется навечно.

Порядок развития этих двух точек таков. Первая точка – начало развития, низший из уровней, близкий к небытию. Она соответствует второй стороне свойства единственности. Вторая точка – это назначенная высота, на которой творение остается навечно.

В наше время, пройдя многочисленные этапы развития, мир поднялся над низшей ступенью, т.е. над второй стороной свойства единственности, и заметно приблизился к первой стороне, когда мир должен прийти к своему совершенному состоянию. Поэтому люди, которые используют свое свойство единственности в форме «отдачи ближнему», все еще малочисленны, так как человечество находится пока на середине пути развития.

Достигнув высшей точки лестницы, все мы будем пользоваться нашей единственностью только в форме «отдачи ближнему», и никогда больше не случится, чтобы кто-то воспользовался ею в целях «получения ради себя».

В соответствии со сказанным, мы нашли возможность посмотреть на условия жизни последнего поколения в состоянии мира во всем мире, когда все человечество достигнет наивысшей точки первой стороны и будет пользоваться своей единственностью только в форме «отдачи ближнему», а не «получения ради себя».

Нам следует построить жизнь, основанную на свойстве отдачи, чтобы она послужила всем эталоном, и вошла в сознание людей. Возможно, стоит и даже следует в нашем поколении совершить попытку уподобиться жизни в такой форме.

УСЛОВИЯ ЖИЗНИ ПОСЛЕДНЕГО ПОКОЛЕНИЯ

В первую очередь каждому следует хорошо понять и объяснить своему ближайшему окружению, что мир в обществе, мир в государстве и мир во всем мире полностью зависят друг от друга. А пока законы общества не удовлетворяют всех. Меньшинство всегда недовольно управлением государства, оно выходит из-под его власти и требует смены правительства.

Если у меньшинства недостаточно сил для открытой, лицом к лицу, борьбы с государственной властью, существует обходной путь для ее свержения. Например, можно столкнуть два государства друг с другом и довести их до состояния войны.

Совершенно естественно, что во время войны прибавится много недовольных, и у них появится надежда достичь решающего большинства для смены правительства, организовать новое удобное для себя правительство. Получается, что мир для индивидуума является фактором, напрямую влияющим на мир в государстве.

Примем во внимание всегда имеющуюся часть общества, для которой война является специальностью и средством карьерного роста. Это — профессиональные военные и специалисты по вооружению, которые представляют собой обладающее весом меньшинство общества.

К ним прибавим весомое меньшинство, недовольное существующими законами. Тогда мы увидим, что в любое время имеется крупное качественное большинство, стремящееся к войнам и кровопролитию.

А поскольку мир на планете и мир в отдельном государстве зависят друг от друга, то даже умные и предприимчивые граждане, довольные существующим положением, становятся серьезно озабоченными безопасностью собственной жизни вследствие напряженности, исходящей от разрушителей. Понимая ценность мира, они, безусловно, были бы согласны ради собственного спасения принять образ жизни последнего поколения.

СТРАДАНИЯ ПО СРАВНЕНИЮ С НАСЛАЖДЕНИЯМИ, ПРИ ПОЛУЧЕНИИ РАДИ СЕБЯ

Если мы основательно разберемся в замысле творения, то убедимся, что вся трудность состоит в необходимости изменения нашей природы с желания получать ради себя на желание отдавать ближнему, так как одно противоречит другому.

На первый взгляд, замысел кажется фантастическим, поскольку требует изменения человеческой природы. Но если разобраться, мы поймем, что все противоречие между получением ради себя и отдачей ближнему – не что иное как психологический барьер. Ведь на практике своими действиями мы часто отдаем ближнему без получения каких-либо благ для себя.

Мы представляем получение ради себя в различных формах, таких как владение имуществом, услады для сердца, глаз и желудка. Его можно определить одним словом – наслаждение. То есть, сутью получения ради себя, к которому стремится человек, является не что иное, как желание получить наслаждение.

Если бы человек сопоставил все наслаждения, которые он получает на протяжении своей жизни с одной стороны, и всю горечь и страдания, которые он переносит с другой стороны, – то он предпочел бы не рождаться вовсе.

А если так, то что выигрывает человек в нашем мире, если в течение своей жизни достигает, предположим, двадцати процентов наслаждения по сравнению с восьмьюдесятью процентами страданий? Ведь в нашем сравнении большая часть страданий останется без какой-либо компенсации.

Однако все сказанное – это личный расчет, когда человек работает ради себя. А при расчете в мировом масштабе, он производит больше, чем получает на свое существование и для собственного наслаждения. И если изменить намерение с получения на отдачу, то человек будет получать наслаждение в полной мере соответственно своей работе, без нескончаемых страданий.

В СЕБЕ НАЙТИ ТВОРЦА

Статья составлена из отдельных набросков Бааль Сулама.

От редакции

Подготовка к развитию души

В нашем материальном мире человек не может существовать без определенных знаний о законах материальной природы, о том, что полезно и что вредно для него в окружающем мире и в окружающих людях. Точно в такой же мере душа человека не может существовать в Высшем мире, не обретя знаний о его природе.

Три периода роста тела

В отношении тела различают три периода роста:

1. Первое малое состояние. Начинается с момента появления тела в мире, когда у него нет никакого знания. В этом состоянии все знания, необходимые для существования, человек получает от отца и матери, и существует за счет их оберегающей силы и мудрости.

2. Второе малое состояние. Наступает, когда человек подрастает и приобретает некоторое знание, позволяющее остерегаться того, что наносит вред его телу. В этот период он заботится о себе вместе с отцом и матерью.

3. Взрослое состояние. Характеризуется тем, что человек уже приобрел достаточные знания для самостоятельной жизни и выходит из-под опеки отца и матери.

Рост души

Человек совершает кругообороты жизней до тех пор, пока не постигнет науку каббала, до овладения которой душа не разовьется. Душа развивается и растет вместе с обретением новых, альтруистических свойств, возникающих в результате приобретения знания духовной природы. Однако, не эти знания приводят к росту души, а ее внутренняя природа.

Причина этого в том, что если бы у души была возможность вырасти без знаний, то это нанесло бы ей ущерб.

Поэтому она получает возможность действовать лишь в мере обретенных знаний. Так, сила ребенка увеличивается постепенно, по мере накопления им знаний. Ведь если бы он получил силу раньше, чем знания, то навредил бы себе. Основу развития души составляют добрые дела. Обе составляющие – знания и добрые дела – зависят от постижения науки каббала и приходят вместе. Поэтому каждой душе предстоит постичь все души, от Адама до Окончательного исправления. Нет ничего удивительного в том, что человек может постичь все души вместе, так как духовное развитие не зависит от пространства и времени.

ТЕЛО И ДУША

Тело – это эгоистическое желание, жизнь которого заключается в последовательном, поочередном прохождении плохих и хороших состояний. Закон природы таков, что плохие состояния заставляют забыть о хороших. Неприятности усугубляются еще и тем, что иногда человеку кажется, будто другие ощущают себя хорошо. Так тело перемалывается, ощущая облегчения и страдания, вращаясь между добрым и злым началом, и обтачивается, как камешки в море.

ПОСТИЖЕНИЕ ЗНАНИЙ В МАТЕРИАЛЬНОМ И В ДУХОВНОМ

Все происходящее с телом обусловлено им самим и природой. Познание материальной действительности возможно и без постижения ее источника.

Все происходящее с душой обусловлено работой и взаимоотношением духовного с материальным. При этом духовная действительность постигается лишь в мере постижения ее источника, познания причин и следствий. В этой мере постигается величие Творца и духовной реальности.

Постижение духовных свойств

Постигающий должен раскрыть две стороны духовного:
• оно не должно быть воображаемым;
• его осознание не оставляет сомнений.

Термин «духовное» указывает на то, что оно, подобно воздуху, не имеет границ, образа и вида. Однако, как очевидна для человека реальность воздуха, от которого зависит его жизнь, так очевидна и реальность духовного.

Необходимость постижения Творца

Желанием души является постижение Творца, поскольку это стремление отпечатано в самой ее природе. Желание это проявляется ко всему скрытому, находящемуся над природой. Человек стремится познать тайну кругооборотов жизней, того, что находится в сердцах себе подобных, и тому подобное.

Постижение творений – это действие, направленное на окружающих. Если бы не было других творений в мире, если была бы создана лишь одна душа, то она не стремилась бы к их постижению. Постижение Творца – это действие души в отношении себя самой. Оно заложено в душе изначально. Душа осознает себя творением и чувствует необходимость в познании Творца. Чем сильнее это ощущение, тем выше уровень души.

Постижение Творца

Каким образом можно ощутить Творца, если Он не имеет никакого материального образа? Постижение Творца возможно только в новом, пробуждающемся желании. Благодаря развитию желания мы можем рассуждать о духовном и его законах.

Суть разума человека, его форма определяется удержанием себя в ощущении в анализе «правда-ложь». Это ощущение называется телом разума и является частью Творца, данной свыше. Оно не имеет никакого отношения к воображению, а только удерживается в ощущении. Это ощущение называется решением или действительностью, или исчезновением действительности, что выясняется в законах и способах действий.

Этот закон называется телом разума и его образом, и является частью целого (Творца), данной свыше. Поэтому этот образ раскрывается в самом целом и в ощущении себя и своей действительности.

Образ в этом законе является полной и постоянной формой его состояния, которая не может исчезнуть целиком или частично. Эта форма называется необходимой и обязательной без дополнений и без уменьшений. Если бы раскрытие Творца было обязательным законом, то не потребовалось бы и науки каббала. Однако Творец раскрывается по собственному желанию, а не принудительно. Удивительная цель Творца, которая не укладывается в разуме, – в соответствии с абсолютной целью, без принуждения научить человека, чтобы он сам пожелал находиться во власти Высшего.

ОСОЗНАНИЕ ПОСТИЖЕНИЯ – ТОЛЬКО С ПОМОЩЬЮ МЕТОДИКИ КАББАЛЫ

Творец не нуждается в философских моделях для доказательства Своего существования. Только с помощью науки каббала, и никаким иным исследованием в мире, раскроется управление Творца творениями.

Только из ощущения Творца исходит полное осознание действительности, несущее с собой любовь Творца и Его благо. Тогда как знание, полученное в результате сухого умственного исследования, не возвышает и не опускает.

Увеличение жизненной силы зависит от постоянства желания. Совершенное познание особенно тем, что цель и желание Творца становится желанием творения, сопутствующим ему без какого-либо принуждения. При этом человеку незамедлительно предоставляются средства для укрепления этого желания.

Суть восприятия разумом

Люди, опирающиеся на разум физического тела, не стремятся к познанию Творца и равнодушны к познанию себе подобных. Разум, одетый во внешний покров – силу воображения, смотрит только на внешнее – на тела и их физические действия и не ощущает при этом недостатка. Его не заботит, что он не знает ни разума, ни внутренней сущности, ни духовной формы себе подобных, так как он не обязан познать другого больше, чем знает себя.

Поэтому только человек, хорошо знающий все законы природы и ее порядки в материальном мире, будучи слит со своими ближними, может утверждать, что знает Творца «лицом к лицу». При этом каждый в своей части слит с другими в воображении, то есть силой уподобления в формах и движениях разума.

Суть разума – в объединении духовных творений. Это объединение определяет «его поведение». Все преимущество человека над животным заключается в том, что у человека есть орган, который готов объединить внутри себя духовные творения. Преимущество одного человека над другим заключается в силе притягивания, а также в свойствах творений, которые он притягивает. Один притягивает важные творения, а другой – менее важные.

Различие между духовным творением и поведением

• Духовное творение – это картина в разуме, которая порождается разумом и находится в нем без каких-либо изменений.

• Поведение – зависит от времени, места и влияния окружения.

Притягивания, накапливающиеся в разуме человека

Разум человека является экстрактом всех органов и свойств его физического тела и накладывается на первые притягивания, отложившиеся в мозге человека.

Так, когда ребенок смотрит на формы творения в мире, то одна заставляет его тянуться к разуму, другая – к богатству, третья – к мужеству. Если ребенок взращивает ценность знания, то притягивает в свой разум прекрасное творение, а если ему больше нравится богатство, то притягивает худшее творение.

Взрослея, человек определяет, что представляет собой источник знания, – Творец или творения, и решает, стоит ли получать вознаграждение от этого источника. Из суммы всех картин образовывается один материал, называемый разумом.

ЛЮБОВЬ К ТВОРЦУ И К ТВОРЕНИЯМ

Люди обращаются к науке каббала совсем не потому, что хотят полюбить творения или Творца. Как правило, человек приходит к каббале из-за гнетущего вопроса: «В чем смысл моей жизни? Почему мне плохо?».

В ответ каббалисты объясняют, что любовь к Творцу и творениям – необходимое условие выхода из тупика.

Разговоры о любви вызывают у нас отвращение, мы и без того напичканы нравоучениями. Жизнь научила нас не доверять любви и вообще не «открываться». Современный человек привык быть жестким, он защищает себя, чтобы не пострадать от общества.

И все же без любви нам не прожить. Согласно Высшему закону, который действует и в нашем мире, любое явление постигается из противоположности. Наша жизнь полна разочарования угроз, непримиримости, жестокости – и именно из этой тьмы раскроется противоположное состояние, любовь к ближнему. Сегодня мы как никогда близки к этому состоянию.

От редакции

ОБЩЕЕ И ЧАСТНОЕ

«Возлюби ближнего как себя» –
это общий закон мироздания.

Исправление эгоизма до степени «Возлюби ближнего как себя» является общим и главным законом каббалы. Это высказывание является одним из самых знаменитых и цитируемых. Часто его перефразируют так: «Не делай другому того, что ненавистно тебе». Но хотя оно всем известно, правильно ли мы понимаем его смысл?

Слово «общий» указывает на сумму частностей, которые вместе в сочетании образуют это «общее». В таком случае закон «Возлюби ближнего как себя» говорит о том, что исправление всех 612 эгоистических свойств человека в сумме образует свойство «возлюби ближнего как себя».

Трудно понять, как это указание может служить «общим» для всех исправлений, которые Высшее управление обязывает нас произвести над собой. Возможно, это свойство может служить «общим» указанием в отношении человека к окружающим. Но как свойство «Возлюби ближнего как себя» определяет отношение человека к Творцу? Поскольку наука каббала является методикой исправления человека и возвышения его до уровня Творца, ясно, что цель этой науки – дать нам возможность выполнить указание «возлюби ближнего как себя».

Указывая на закон «возлюби ближнего как себя», каббала говорит, что в соответствии с этим законом создано все мироздание, и только наш мир действует согласно обратному свойству – «любви каждого только к себе». Если человек в нашем мире желает соответствовать общему закону мироздания, он должен изменить себя и привести себя в соответствие этому закону. Причина же всех страданий в мире заключается в нашей противоположности этому общему закону.

Прежде всего необходимо выяснить, что представляет собой указание «как себя». Буквально это означает – любить ближнего в такой же мере, в которой любишь самого себя. Но в таком случае это указание невыполнимо.

Даже если бы было указано: «Возлюби ближнего как он тебя», то и в этом случае немногие смогли бы выполнить это указание в полном объеме, но оно все же стало бы приемлемо. Но, казалось бы, любить другого человека как самого себя невозможно!

Даже если бы в мире был лишь один человек кроме меня, то и тогда это было бы невозможно, а уж тем более, когда мир полон людей. Если человек будет любить всех, как себя, у него не останется времени на себя, а ведь в своей любви к себе он постоянно и с большим желанием наполняет свои потребности.

Для того, чтобы у человека появилось желание удовлетворять нужды общества, нет веской причины. Даже если бы у него появилось такое желание, разве смог бы он его выполнить в требуемом, буквальном виде – «любить всех как себя»? Как же Высшее управление, общий закон мироздания обязывает человека выполнить совершенно невозможное?

И все же это условие не чрезмерно. Человек обязан наполнять потребности ближнего, отдавать другому, даже если останется в нужде.

ОДНО ИСПРАВЛЕНИЕ

Человеку нужно выполнить только одно практическое действие – исправление относительно окружающих, приводящее к слиянию с Творцом.

Но разве изначально Творец не мог создать нас в этом величии и не утруждать творения исправлениями? Мы не можем наслаждаться незаработанным, если не стремились к плодам труда – к величию Творца. Этого величия мы достигаем своими собственными усилиями. Тогда мы ощущаем, что получаем все наслаждение от Творца по праву, а не как подарок.

В чем источник ощущения получающим низости при получении подарка? В природе действует закон: «Любая ветвь подобна ее корню». Это означает, что все существующее в корне желаемо ветвью и полезно ей. И наоборот, все отсутствующее в корне – ненавистно и вредно ветви. Поскольку наш корень – дающий Творец, то мы ощущаем свою низость при получении.

Причина и цель творения – в слиянии с Творцом. Слияние достигается подобием свойств творения с Творцом, ветви с корнем. Человек приходит к подобию с Творцом путем постепенного исправления своих эгоистических качеств на альтруистические. Изучая науку каббала, человек получает силу и средство для достижения слияния со своим высшим корнем.

Две части в методике каббалы: исправления отношений с Творцом и исправления отношений с ближним

В методике каббалы различают две части:
• исправления отношений человека с Творцом;
• исправления отношений человека с ближним.

Их предназначение и практическое применение одно – действия ради Творца. Для человека нет никакой разницы, работает ли он ради ближнего или ради Творца, поскольку вне себя он ощущает все как несуществующее. Поэтому человек должен начинать с действий «ради себя», и постепенно переходить к намерению «ради Творца». Сначала – из удовольствия, а затем – из любви.

Совершая исправление отношения к ближнему, человек завершает этим свое исправление в любви и отдаче Творцу. И нет разницы между ними, поскольку все находящееся вне «тела», вне получения выгоды для себя, расценивается одинаково, будь то отдача ближнему, или Творцу. Поэтому реализация человеком принципа «возлюби ближнего как себя» является конечной целью всех исправлений. Окружение человека преднамеренно создано так, чтобы можно было, не ошибаясь в действиях (ведь совершаются в отношении ближнего), достичь духовных свойств.

Если человек поставит наполнение потребностей ближнего выше наполнения собственных потребностей, это и будет определенной мерой отдачи. Поэтому он не ставит своей целью «возлюбить Творца своего всем сердцем, всей душой и всем естеством», поскольку по сути это одно и то же. Ведь и ближнего своего он также должен любить всем сердцем, всей душой и всем своим естеством. Таково значение слов «как самого себя». Ведь себя человек, безусловно, любит всем сердцем, всей душой и всем своим естеством, а в отношении Творца он может обмануть себя, тогда как ближний всегда находится у него перед глазами.

МЕТОДИКА КАББАЛЫ ДАЕТСЯ ЦЕЛОМУ НАРОДУ

Выясним теперь, как пожелать и обрести духовное свойство? Ведь это кажется невыполнимым. Методика каббалы дана целому народу. Задано условие: каждый должен быть готов принять на себя принцип «возлюби ближнего как себя», как средство достижения слияния с Творцом. Только после того как каждый согласится, сказав: «Сделаем и услышим», обретение духовного свойства становится возможным. Ведь если все будут заботиться только друг о друге с истинной любовью, то ни у кого не будет необходимости беспокоиться о собственном существовании, поскольку все остальные заботятся о нем, и чтобы он ни в чем не испытывал недостатка.

ПОРУЧИТЕЛЬСТВО ДРУГ ЗА ДРУГА

Мир создан и управляется законом всеобщей отдачи. Этот закон охватывает все творение и обязывает нас сознательно путем каббалы или насильственно путем страданий достичь его выполнения. В итоге все человечество обязано будет прийти к закону всеобщей ответственности.

Только при наличии определенного количества людей, возможно соблюдение условия взаимного поручительства, когда люди поддерживали бы друг в друге уверенность в том, что каждый может реализовать свойство отдачи без всякой заботы о себе. Выполнение такого психологического условия зависит прежде всего от оценки каждым их величия поставленной цели.

Если в такой группе или в народе, принявшем на себя условие поручительства, появятся безответственные люди, то они лишат своей поддержки остальных, и те без их помощи уже не смогут целиком посвятить себя любви к ближнему и отдаче. Таким образом, если часть народа не выполняет возложенного на нее условия взаимной ответственности, то она является причиной страданий всего народа.

Приведем пример: «Двое находятся в лодке, и один начал сверлить под собой. А на просьбу остановиться ответил: «Что тебе за дело, ведь я сверлю под собой». Поскольку все человечество изначально собрано в одну полностью связанную и зависимую систему, безответственные эгоисты вызывают на себя и всех остальных людей страдания. Каждый человек и весь мир в целом судятся по большинству, и поэтому, человек, выполняющий исправление добавляет счастье миру, а совершающий нарушение, приносит миру горе. Причем закон поручительства охватывает весь мир в целом, поскольку одного народа недостаточно для достижения исправления всего мира. Поэтому сказано: «И наполнится земля знанием Творца», «и хлынут к нему все народы». Поэтому ответственность возложена на весь мир, так что одному народу без помощи всех народов, невозможно достичь желаемого завершения.

Таким образом, каждое исправление, совершаемое одним человеком, влияет на весь мир, ведет к развитию мира и достижению закона любви и отдачи, пока не наполнится земля этим знанием. А каждое нарушение, совершаемое одним человеком, тоже влияет на весь мир и вызывает компенсационные силы, принуждающие мир к исправлению. Эти силы ощущаются нами как страдания.

ПОЧЕМУ МЕТОДИКА КАББАЛЫ ДАНА ОДНОМУ НАРОДУ (ИЗРАИЛЯ)

Вопрос о том, почему методика каббалы дана одному народу и почему не участвовали в этом все остальные народы мира, хотя достижение цели творения возложено на все человечество разъясняется так:

• Из всего человечества был выделен один человек (Авраам), который начал осваивать принцип отдачи и любви.

• Его ученики и потомки постепенно разрослись до величины народа, дети получали каббалистическое воспитание. По сути своей, они представляли все ту же каббалистическую группу.

• Затем этот народ – группа каббалистов упал с духовного уровня до уровня всех народов и рассеялся между ними.

• В народах мира и в народе Израиля происходит созревание эгоизма до уровня, когда появляется необходимость извлечь из скрытия методику исправления и возвышения до уровня Творца.

ОДИН ЗАКОН

Есть лишь один закон – служить творениям. Правильные взаимоотношения между нами приведут нас к правильным взаимоотношениям с Творцом. Об этом и говорит величайшее правило: «Возлюби ближнего как себя». Сменив себялюбие на любовь к ближнему, человек сможет получить Высший свет в свои исправленные желания.

В этой статье Бааль Сулам объясняет, как выстраивать взаимоотношения между людьми, чтобы они послужили трамплином к слиянию с Творцом. Человек, исполнивший даже один закон Высшего мира – склоняет себя и весь мир к добру.

От редакции.

ИСПРАВЛЕНИЕ ТВОРЕНИЯ – В НАМЕРЕНИИ

Человек, исполнивший даже
один закон Высшего мира –
склоняет себя и весь мир к добру.

Исправление исконной природы человека, его эгоистических желаний, необходимо производить только во имя слияния с Высшей силой, подобия ей, обретения свойства отдачи, то есть ради того, чтобы насладить ее так, как она желает насладить нас. Желание наслаждаться в человеке создано самой Высшей силой и не является противоположным ей.

Противоположным ей является намерение наслаждаться «ради себя». Именно намерение «ради себя» называется эгоизмом, а не само желание наслаждаться. Само желание наслаждаться или, как говорят каббалисты, наполняться, неизменно, только оно и создано, только оно и существует, кроме самого Творца. Творец создал только желание насладиться, насладиться Им, Его светом, или ощущением Его.

От нас зависит лишь то, как применять наше единственное природное желание наслаждаться: ради себя или ради Творца. Наслаждение с намерением «ради себя» ограничено рамками нашего мира. Наполнение эгоистического желания невозможно, потому что, наполняя желание, наслаждение аннулирует его и перестает ощущаться.

Чтобы человек мог существовать до того, как начнет овладевать нужным намерением и сможет себя наполнить неограниченным и непреходящим наслаждением, он обладает только микро-желанием, способным получать маленькую искру наслаждения – «нэр дакик». Все остальные безграничные и непреходящие наслаждения могут ощущаться только в намерении ради Творца. Отсюда видно, что Творец создал желание наслаждаться с целью использовать его не в прямом виде – «наслаждаться ради себя», а в обратном – «наслаждаться ради Него».

В таком случае мы становимся подобными Ему. Меняя эгоистическое намерение «наслаждаться ради себя» на альтруистическое намерение «наслаждаться ради Высшей силы», человек полностью уподобляется Высшей силе, поскольку намерение определяет действие.

Невозможно мгновенно перейти от эгоистического намерения ради себя к альтруистическому намерению ради Высшей силы. Такое изменение в мыслях, привычках, укладе, образе жизни человека требует постепенной трансформации. Виды наслаждения диктуются человеку обществом, и поэтому необходимо такое окружение, которое заменит ценности получения ценностями отдачи. Тогда человек перейдет от намерения ради себя к намерению ради других.

Какой же метод дает возможность человеку безошибочно и быстро достичь свойства Высшей силы? Единственное средство достичь намерения ради отдачи – думать и беспокоиться о себе только в мере необходимости для существования, а в остальном – заботиться о благе общества. Так человек уподобляется по свойству Высшей управляющей силе. Такое изменение возможно только в особом обществе, специально созданном для изменения человека.

Два преимущества выполнения закона отдачи в обществе

1. Человек выполняет закон отдачи потому, что это поощряется обществом или даже всем человечеством.

2. Выполнение закона отдачи ради человечества подготавливает человека к выполнению закона отдачи ради слияния с Высшей силой.

Только в таком случае у человека появляется энергия для выполнения действия отдачи. Само общество, восхваляя его действия, дает ему этим энергию для отдачи, вначале пусть только ради вознаграждения. Человек стремится к одобрению со стороны общества, но затем постепенно привычка становится второй натурой, его природой, и он уже сам хочет этого.

Такие действия отдачи вызовут нисхождение на человека Высшего исправляющего света, который приведет его в подобие Творцу по принципу: от намерения «ради себя» – к намерению «ради Творца».

Эта подготовка является одним из средств достижения цели. Ведь приучая себя работать ради других, то есть на их благо, а не ради себя, человек приходит к выполнению закона отдачи ради Творца, а не ради себя. По замыслу, таким и должно стать его намерение.

ЧАСТЬ МЕТОДИКИ, ОПРЕДЕЛЯЮЩАЯ ОТНОШЕНИЯ ЧЕЛОВЕКА С ТОВАРИЩЕМ

Методика сближения с Высшей силой состоит из двух частей:

• отношение человека с Творцом;
• отношение человека с товарищем.

Самое действенное и эффективное – всегда заниматься отношением человека с товарищем, тем самым обретаются навыки и в отношениях человека с Творцом.

РЕЧЬ, МЫСЛЬ, ДЕЙСТВИЕ

Любое усилие по исправлению включает в себя мысль, речь и действие.

•Действие – если оно направлено на Творца, то само по себе доказывает намерение. Действие и намерение направлены на один объект – на Творца. В таком случае также может быть два типа намерения – ради себя или ради Творца. Действие с намерением «не ради Творца», Творца не достигает. Творец раскрывается человеку если в нем возникло постоянное исправленное намерение ради отдачи, то есть, в мере их взаимного подобия. Конечно же, Творец всегда и полностью ощущает человека, но это ощущение одностороннее. А человек начинает ощущать Творца только в мере уподобления Ему. Самый эффективный способ достичь подобия Высшей силе – принять на себя обязанность все свое свободное время посвятить служению творениям, но обязательно с целью достичь тем самым слияния с Творцом. Действия, относящиеся к взаимоотношениям между людьми, исполняются исходя из человеческой совести, которая обязывает так поступать. Однако они не ведут к исправлению, и, значит, не приведут к близости с Творцом. Поэтому человек должен мысленно представлять себе, что он выполняет любое действие для доставления наслаждения Творцу, чтобы стать подобным Ему, таким же бескорыстно отдающим. Такое намерение в соединении с хорошими действиями приблизит человека к Творцу так, что его свойства станут подобны духовному, как оттиск подобен печати. И тогда человек будет готов получить высшее изобилие.

• Мысль во взаимоотношениях между людьми является еще большей основой, чем во взаимоотношениях человека с Творцом.

• Речь – означает просьбу к Высшей силе об исправлении и изменении намерения с «ради себя» на «ради других». Об этом надо просить при исполнении любых действий, и в особенности, во время изучения каббалы.

ДВА ВИДА ДОСТАВЛЕНИЯ НАСЛАЖДЕНИЯ ТВОРЦУ

1. Осознанное. Миру нечего надеяться, что придет такое время, когда появится возможность сразу обрести подобие Творцу. Без длительных усилий в период скрытия Творца и без работы в группе не удастся прийти к намерению ради Творца. И раньше, и сейчас, и в будущем каждый желающий связи с Творцом должен будет начинать работу, пребывая в эгоистическом намерении, и только после исполнения всех предписаний достигнет подобия Творцу в намерении ради Творца.

Путь к этому состоянию не ограничен во времени, а зависит только от готовности человека, от того, насколько он властен над своим сердцем. А потому многие пали и еще падут, занимаясь этой работой «ради себя», и умрут, так и достигнув мудрости. Но вместе с тем велико их вознаграждение, и мысль человеческая не способна оценить значение наслаждения, доставляемого ими Творцу.

2. Неосознанное. Даже любой начинающий изучать каббалу, совершающий любое действие с любым намерением, поскольку еще не пригоден к исполнению иным образом, также доставляет наслаждение Творцу.

Обязанность исполнения 613 заповедей

Душа человека состоит из 613 частных желаний, исправление намерений на которые с «ради себя» на «ради Творца» позволяет в каждом исправленном желании ощутить связь с Творцом, слияние с Ним. Каждое проявление Творца в человеке называется «раскрытием Творца» или «Его именем». Иными словами, имена Творца – это личные постижения частных мер общего изобилия Творца. Каждый человек должен пройти все уровни постижения и постигнуть полное общее проявление (имя) Творца.

Истинная мудрость

Каббалисты прошлых поколений излагали методику индивидуального постижения. Здесь же излагается неизменный общий путь, объясняющий духовные сущности без облачения в материальную оболочку. Именно такое объяснение особенно полезно для постижения. Эта наука называется «истинной мудростью». Успех изложения в последующих поколениях будет все большим, так как поколения будут более подготовлены для восприятия истинной мудрости. Успех восприятия зависит от величия духовного лидера поколения, от самого поколения, или от того и другого вместе.

МИР

В этой статье Бааль Сулам наглядно объясняет, что невозможно уклониться от законов природы. Приводя точные и емкие примеры, он рассказывает о религии, о науке и технике, об отношении человека к познанию, о том, как мы представляем себе Высший мир и запутываемся в своих представлениях о нем, потому что от нас скрыто действие единого, универсального закона мироздания.

Процесс развития постепенно подводит нас к осознанию простого факта: человеку необходимо правильно взаимодействовать с природой. Вместо того чтобы пробираться в потемках и «набивать себе шишки», нам нужно использовать всю мощь природы для духовного продвижения.

Название статьи символично, ведь она показывает, как прийти к миру с природой и с самими собой. На иврите слово мир родственно таким словам как совершенство, полнота, гармония, что представляет вершину нашего развития.

От редакции

Научное исследование пользы и необходимости исправления природы человека до подобия Высшей управляющей силе на опытной основе

И волк будет жить рядом с агнцем,
и тигр будет лежать с козленком,
и телец, и молодой лев, и вол будут вместе,
и маленький мальчик будет управлять ими.

Суть исправления природы человека состоит в приведении его к любви к ближнему, что практически можно определить как «отдача ближнему». Можно сказать, что оказание блага ближнему является частью проявления любви к нему.

После того как мы убедимся в правильности этого метода работы над собой, выясним, основывается ли эта работа только на вере, без всякой научной основы, или она опирается на опытную основу, что мы и желаем показать в этой статье.

Отличие науки каббала от формальной философии в том, что каббала не принимает любые виды исследований, проведенные на теоретической основе. Как известно, большинство ученых нашего поколения согласны с этим, поскольку они не могут доверять данным и выводам, не подтвержденным практически.

Поэтому наука каббала описывает только те Высшие явления, которые каббалисты постигают на собственном опыте. В предлагаемой статье нет ни одного слова, не проверенного опытом, начиная с простого осознания, по поводу которого нет разногласий, до развернутого доказательства аналитическим путем разделения на составляющие, и до познания самых возвышенных объектов.

Учитывая это, мы пойдем путем синтеза (путем объединения и взаимодействия таких методов, как аналогия, сравнение и практика), и покажем, каким образом простое осознание позволяет подтвердить на практике необходимость исправления нашей природы до подобия с Высшей силой.

КОНТРАСТЫ И ПРОТИВОРЕЧИЯ УПРАВЛЕНИЯ

Наблюдая окружающую нас действительность, мы находим в ней две противоположности:

1. Когда мы смотрим на творение с точки зрения его существования и выживаемости, то бросается в глаза постоянное управление, глубина мудрости и степень талантливости которого поражает воображение, как в отношении всей действительности, так и ее частей. Возьмем в качестве примера существование человеческого рода. Любовь к детям является главной причиной рождения детей. Причина эта весьма основательна и достаточна для продолжения человеческого рода.

Капля-носитель естества отца помещается природой в безопасное, с великой мудростью созданное для зарождения жизни место, где изо дня в день в точной мере получает все необходимое. Природа позаботилась о создании удивительной колыбели в чреве матери, где никто не сможет причинить вреда новой жизни. Природа ухаживает за ней с мастерством художника, не оставляя без присмотра ни на секунду, пока новая жизнь не наберется достаточно сил для выхода в наш мир.

Тогда природа дает ей на короткое время силы и мужество, чтобы хватило их разрушить стены, окружающие ее, и тогда, как опытный герой, привыкший к битвам, новая жизнь рушит преграду и появляется на свет. Но и тогда природа не отворачивается от нее, а как милосердная мать, заботливо передает ее к преданно любящим родителям. Теперь им можно доверить заботу о новой жизни. Они будут опекать ее в период слабости, до тех пор, пока ребенок не подрастет и не сможет заботиться о себе, обходясь собственными силами.

Так же, как о человеке, природа заботится обо всех видах творения: животных, растениях и неживом уровне. И делает это разумно и милосердно, чтобы обеспечить и само их существование, и продолжение рода.

2. Однако если посмотреть с точки зрения существования и выживания, то бросается в глаза беспорядок и большая путаница. Как будто нет никакого управляющего, никакого надзора, и каждый делает то, что он хочет, и каждый строит собственное благополучие на несчастье другого. Грешники набирают силу, а праведники попираемы без жалости.

Это противоречие, заметное любому образованному и чувствующему человеку, занимает человечество еще с древних времен. Выдвинуты многочисленные теории, которые оправдывают эти два противоречия в управлении природы, существующие в одном мире. Рассмотрим эти теории.

Теория первая: природа

Это очень древняя теория. Исходя из рассматриваемых бросающихся в глаза противоречий, не найдя никаких способов как-то сгладить их, люди пришли к предположению, что Творец жестко управляет существованием всего созданного Им так, что ничего не ускользает от Него, и нет у Него ни разума, ни чувств.

Получается, что несмотря на то, что Творец придумал и управляет существованием действительности с великой мудростью, достойной всяческого удивления, у Него самого нет разума. Ведь если были бы у Него разум и чувства, конечно, Он не допустил бы такого беспорядка в добыче средств существования, без милосердия и жалости к страданиям людей. В соответствии с этим, люди назвали управление «Природой», что означает управление без разума и чувства. А потому людям не на кого сердиться, некому молиться, и не перед кем оправдываться.

ТЕОРИЯ ВТОРАЯ: ДВЕ ВЛАСТИ

Некоторые теоретики пошли дальше, так как им трудно было согласиться с предположением, что всем управляет природа. Видя, что управление действительностью осуществляется с великой мудростью, превышающей любую человеческую, они не могли согласиться, что у руководящего всем этим отсутствует мудрость. Ведь никто не может дать то, чего у него нет. И никто не может учить и вразумлять другого, если сам глупец.

Как можно сказать об организовавшем все творение чудесным образом, что он не знал, что делал, и все вышло у него случайно, в то время как известно, что разумные действия не могут быть случайными и более того, обеспечивать вечный порядок существования. А потому появилась вторая теория, согласно которой существует два управляющих: один – Творец, творящий добро, а другой – Творец, творящий зло. Эта теория получила развитие и была подкреплена различными доказательствами и примерами.

ТЕОРИЯ ТРЕТЬЯ: МНОЖЕСТВО БОГОВ

Эта система родилась из подражания второй теории двоевластия. Общее воздействие Высшего управления было разделено на отдельные составляющие, такие, как сила, богатство, власть, красота, голод, смерть, беспорядки и прочее. Ответственность за каждое из этих действий люди возложили на какого-то определенного божка и развивали это представление в соответствии с необходимостью.

Теория четвертая: прекратил опеку

В последнее время, когда люди обрели люди мудрость и увидели более сильную связь между всеми частями творения, они совершенно отказались от идеи многобожия. Опять встал вопрос о противоречиях, ощущаемых в Высшем управлении. Тогда была выдвинута новая теория, предполагавшая, что на самом деле создатель и руководитель действительностью мудр, и чувства ведомы ему. Однако с высоты его величия, с которым ничто не сравнится, наш мир видится ему как песчинка, и ничего не стоит в его глазах, и не пристало ему заниматься такими мелкими делами. А потому существование наше столь беспорядочно, и каждый делает, что хочет.

Одновременно с вышеописанными теориями существовали также религиозные доктрины о божественной единственности, которые мы здесь не рассматриваем, так как хотели только показать разнообразие различных неверных теорий и удивительных предположений, которые, как известно, господствовали и были широко распространены в разное время.

Все вышеназванные теории, зародились и появились на свет по причине противоположности и противоречия между двумя видами управления, ощущаемыми в нашем мире. Все эти теории были предназначены ни для чего иного, как для преодоления этого большого разрыва и соединения их в одно целое.

Однако мир управляется по неизменным законам. И этот огромный и страшный разрыв не только не уменьшается, а наоборот, превращается в ужасную бездну, без видимого выхода из нее и надежды на спасение. Глядя на все вышеописанные безуспешные попытки, которыми пользовалось человечество на протяжении нескольких тысяч лет до настоящего времени, возникает вопрос: может быть, нет смысла просить у Творца исправления этого разрыва, потому что главное исправление находится в наших руках?

ОБЯЗАННОСТЬ ОСТОРОЖНОГО ОТНОШЕНИЯ К ЗАКОНАМ ПРИРОДЫ

Все мы соглашаемся, осознавая это даже на простом уровне, что человек должен жить в обществе. Другими словами, без общества он не может существовать и добывать себе средства к существованию. Подтверждением тому служат реальные события. Если какой-то одиночка уходит из общества в пустынное место и живет там жизнью, полной горя и страданий, то у него нет никакого права сердиться на свою судьбу и на Высшее управление из-за невозможности самому обеспечить свои потребности. Если он все-таки сердится и проклинает свою горькую долю, то тем самым он лишь показывает собственную глупость. Ведь в то время как Высшее управление приготовило для него удобное и желательное место для жизни, нет никакого оправдания его бегству в пустынное место. Такой человек не достоин жалости, так как идет против природы творения, несмотря на то что есть у него указание жить так, как велит ему Высшее управление.

Можно сформулировать это по-каббалистически: поскольку управление творением исходит от Творца, и, без сомнения, все Его действия определяются Его целью, то каждый, кто преступает законы природы, вредит продвижению к цели.

Все законы природы без исключения направлены на достижение цели Творца. Умному работнику подобает ни на волос не отступать от обязательных действий, ведущих к этой цели. Поэтому природа накажет нарушающего даже один закон, так как человек, нарушающий закон, наносит ущерб и вредит достижению цели, которую установил Творец.

Поскольку люди тоже созданы Творцом, то нельзя им жалеть такого человека, ведь он пренебрегает законами природы и целью Творца. По сути, разногласия возникают лишь в том, называть ли Управляющего природой, отказывая Ему в наличии знания и цели, или считать Его невероятно мудрым, а к Его действия целенаправленными. В конце концов, все соглашаются с тем, что на людей возложена обязанность выполнять законы Высшего управления, другими словами – законы природы.

Все признают, что человек, нарушающий законы Высшего управления, достоин наказания, возлагаемого на него природой. Наказание даже желательно для него, и нельзя кому бы то ни было жалеть такого. То есть, суть закона одна, а разногласия лишь в том, воспринимать ли его как обязывающий или целенаправленный, как считают каббалисты.

Чтобы в дальнейшем нам не понадобилось пользоваться двумя названиями – природа и Управляющий, согласимся с каббалистами в том, что понятия «природа» и «Творец», имеющие одно числовое значение, тождественны. Тогда законы Творца можно назвать законами природы, и наоборот, и нет никакого различия в выполнении этих законов.

Очень важно понять законы природы, чтобы узнать, что она требует от нас, и чтобы не быть безжалостно наказанными ею. Мы уже говорили о том, что природа обязывает человека жить жизнью общества. Однако, нам стоит выяснить действия, которые природа обязывает нас выполнять по отношению к обществу. По сути, на нас возложено выполнение только двух действий, которые можно определить как «получение» и «отдача». То есть, каждый член общества обязывается природой получать все необходимое ему от общества, и также обязывается отдавать обществу, работая на его благо. Если человек не выполнит хотя бы одно из этих двух действий, он будет немилосердно наказан.

В отношении действия «получения от общества», нам не нужны многочисленные наблюдения. Мы не можем пренебрежительно относиться к нарушениям закона получения, поскольку наказание со стороны общества следует незамедлительно. Что же касается действия «отдачи обществу», когда наказание не только не приходит немедленно, но еще и воздействует на нас не прямым, а косвенным путем, то это действие не выполняется должным образом.

Потому человечество поджаривается на страшном огне, а разрушения, голод, и их последствия не покинули его до сих пор. Природа наказывает нас, как профессиональный судья, и по мере развития человечества, достижений экономического и технического прогресса, страдания и несчастья растут.

Такова научно-практическая основа того, что управление Творца обязывает нас исполнять закон «отдачи ближнему» со всей точностью, чтобы ни один из нас не уменьшил бы свои усилия, работая в полной мере, необходимой для процветания и благоденствия общества. И пока мы ленимся исполнять закон отдачи в полной мере, природа не прекратит наказывать нас. Необходимо принять во внимание те нарастающие удары, которые мы получаем в наше время, и сделать правильный вывод, что природа победит нас, и мы будем вынуждены все вместе, как один, выполнять ее закон отдачи в полной мере, требуемой от нас.

Доказательство работы Творца на основании опыта

Мы показали необходимость работы на общество, но где практическое доказательство того, что надо исполнять закон отдачи ради Творца? Об этом позаботилась сама история и приготовила нам неопровержимые факты для полной оценки и выводов, не вызывающих никакого сомнения.

Многомиллионное общество России, которая занимает площадь, превышающую площадь всей Европы, и имеет запас полезных ископаемых несравнимый по величине и разнообразию с запасами других стран, решило вести коллективное хозяйство и практически ликвидировало всю частную собственность.

Но вместо того чтобы возвыситься и опередить буржуазные страны, российское общество опускалось все ниже и ниже, пока не оказалось неспособным не только обеспечить рабочим хотя бы уровень жизни рабочих буржуазных стран, но не могло даже обещать им хлеб насущный и как-то прикрыть наготу. Этот факт поражает, ведь на первый взгляд, принимая во внимание богатства страны и огромное население, страна не должна была опуститься до такого низкого уровня.

Причина падения страны в том, что драгоценная работа на «отдачу ближнему», должна была выполняться не ради человечества, а ради Творца. Вследствие того, что люди выполняли свою работу не ради Творца, законом самой природы они лишили себя права на существование.

Представим себе, что каждый из этого общества старается выполнять закон Творца «Возлюби Творца всем сердцем». Он заботился бы об удовлетворении потребностей и запросов ближнего в такой же мере, как вычеканено в нем самом заботиться о собственных нуждах – «Возлюби ближнего как себя», и целью каждого во время его работы на благо общества был бы сам Творец.

Тогда работающий ожидал бы от своей работы на общество единения с Творцом, источником всей истины и блага, всей приятности и нежности. Без всякого сомнения, в течении нескольких лет эти люди стали бы самыми счастливыми во Вселенной! Только при этом условии страна смогла бы эффективно использовать богатейшие запасы полезных ископаемых. Россия стала бы примером для всех, и была бы благословлена Творцом.

Однако, когда вся работа по отдаче ближнему совершается лишь во имя общества, кто и что заставит индивидуума выкладываться в полной мере? Невозможно надеяться, что безжизненный принцип даст мотивацию даже достаточно развитым людям, не говоря уже о неразвитых. Возникает вопрос: откуда рабочий или земледелец получит силу, достаточную для мотивации его труда? Ведь количество получаемого им вознаграждения не уменьшится и не увеличится из-за того, что он распыляет свои силы.

Известно, что даже самое маленькое движение человек не может совершить без движущей силы, то есть без того, чтобы не улучшить как-то свое положение. Например, когда человек переносит руки со стула на стол, то происходит это потому, что ему кажется, что, облокотив руки на стол, он почувствует себя удобнее, и если бы так не казалось ему, то он оставил бы руки на стуле все семьдесят лет жизни, не говоря уже о большем усилии.

Если поставить над работниками надзирающих, чтобы наказывали каждого ленящегося в работе, и отбирали у него за это хлеб насущный, то откуда у самих проверяющих возьмется движущая сила для работы? Надзор за людьми с целью заставить их работать – само по себе большое усилие, может быть еще большее, чем сама работа.

Потому противоестественны человеческие законы, а законы природы накажут людей, так как они не выполняют установления природы – отдавать ближнему ради Творца, чтобы в этой работе придти к цели Творения – к единению с Творцом. Это единение ощущается как все возрастающее огромное наслаждение до той желанной степени, когда происходит истинное развивающееся осознание Творца, при котором человек удостаивается единения с Творцом.

Если бы крестьянин и рабочий чувствовали эту цель во время их труда для счастья общества, то, естественно, не нуждались бы ни в каких надсмотрщиках, так как у них уже имелась бы абсолютно достаточная движущая сила для совершения огромных усилий, до вознесения общества на вершину счастья. Чтобы прийти к такому пониманию, требуются огромные усилия. Упрямая природа не делает уступок, поэтому у коммунистического режима нет права на существование.

Историческую практика, предстающая перед нашими глазами, показывает, что нет для человечества никакого другого лекарства в мире, кроме принятия к исполнению закона Высшего управления – «отдачи ближнему ради Творца», включающей два аспекта. Один из них – «возлюби ближнего как себя», означает, что степень усилий для отдачи ближнему во имя счастья общества должна быть не меньше степени, заложенной в человеке потребности заботиться о своих нуждах. Более того, забота о благе ближнего должна опережать заботу о своем благе.

Цель второго аспекта – «возлюби Творца всем сердцем», обязывает каждого, в то время, когда он заботится о благе ближнего, делать это лишь для того, чтобы обрести благоволение в глазах Творца, чтобы мог сказать, что выполняет Его желание. Если человечество или отдельно взятое общество выполнит это условие, то вкусит благие плоды. И преобразятся нищие, измученные и порабощенные эгоистическим желанием, и счастье каждого превзойдет всякую меру. Но если откажемся и не захотим заключить союз для выполнения работы Творца в той мере, как описано ранее, то природа и ее законы обрушат на нас свое мщение и не дадут нам покоя, пока не победят нас, и пока не примем мы власть природы во всем, что она нам повелит.

Кругооборот изменения формы

Когда мы видим людей, сменяющихся и переходящих из поколения в поколение, то мы различаем только их тела. Однако души, составляющие суть тела, не исчезают в процессе замены, а отпечатываются и переходят из тела в тело, из поколения в поколение. Таким образом, нет в нашем мире новых душ, несмотря на смену тел. Строго определенное количество душ вращается в круговороте изменения формы. Поскольку души в каждом новом поколении «одеваются» в новые тела, то все поколения, от начала творения до окончательного исправления эгоизма можно считать одним поколением, существующим несколько тысяч лет. С этой точки зрения абсолютно не имеет значения, что за это время каждый сменил свое тело несколько тысяч раз, так как душа – суть тела, не страдала от этих смен.

Суть перевоплощения распространяется и на самые маленькие ощутимые частицы действительности, каждая из которых движется по своему пути вечной жизни. По нашему представлению, опирающемуся на наши органы ощущения, все существующее исчезает. На самом деле любая частица мироздания не знает покоя, находясь в постоянном движении кругооборота изменения формы, ничего не теряя из своей сути на этом пути.

«ВСЕ НАХОДИТСЯ ПОД ЗАЛОГОМ, И ЛОВУШКА РАССТАВЛЕНА НА ВСЮ ЖИЗНЬ»

Сказано: «Все находится под залогом, и ловушка расставлена на всю жизнь. Магазин открыт, и лавочник дает в долг. И книга открыта, и пишет рука. И каждый, кто захочет взять взаймы, пусть придет и возьмет. Но сборщики налогов возвращаются непрестанно, и взимается плата с человека, осознает он это, или нет. И есть им на что опираться. И суд – суд истины, и все подготовлено к трапезе».

Творец создал наш мир и людей в нем, чтобы, живя в нашем мире, они заработали достижения возвышенной цели – слияния с Творцом. Следует разобраться, кто заставит человечество выполнять работу Творца, чтобы достичь этой возвышенной и величественной цели? Об этом говорит нам фраза «все находится под залогом». То есть все, что Творец предопределил в творении и дал людям, дано им не в качестве бесхозного имущества. Гарантом является Он Сам.

Если спросить: какой залог дан Ему? Ответ: «ловушка расставлена на всю жизнь». Творец приготовил для человечества такую изощренную ловушку, что никто не избежит ее, и всю жизнь должен будет провести в этой западне до тех пор, пока не примет на себя работу Творца и пока не достигнет величественной цели. Это и есть залог, которым Творец гарантировал Себя от обмана со стороны творения.

«Магазин открыт» означает, что, несмотря на то что этот мир в наших глазах выглядит открытым магазином без хозяина, где любой прохожий может взять товар и все, чего душа пожелает, бесплатно и без оглядки, на самом деле «лавочник дает в долг. Хотя ты не видишь здесь никакого хозяина, знай, что хозяин есть, а то, что он не требует оплаты, так это потому, что он дает тебе в кредит.

Откуда известен долг каждого? Ответ: «книга открыта, и пишет рука». То есть существует общая книга, куда записывается каждое действие без исключения. Смысл этого в том, что существует вычеканенный Творцом в человечестве закон развития, который всегда толкает нас вперед.

Это означает, что каждое хорошее состояние есть не что иное, как плод развития предыдущего плохого состояния. Действительно, оценка добра и зла должна даваться не по оценке состояния, как такового, а в соответствии с общей целью творения, когда каждое состояние, приближающее человечество к цели, считается хорошим, а отдаляющее от цели — плохим.

На этом принципе базируется «закон развития», в соответствии с которым, неисправленность и грех, заключенные в текущем состоянии, являются причиной возникновения и процессом построения хорошего состояния. Время существования каждого состояния — это строго определенный период, требуемый для роста зла, заключенного в состоянии, до такого уровня, что общество не сможет больше находиться в нем. Тогда общество вынуждено сплотиться, разрушить его и перейти в более хорошее с его точки зрения состояние, данное этому поколению.

Время существования нового состояния продлится до тех пор, пока искры зла в нем не разгорятся до такой степени, что станет невозможно выносить его. Тогда люди снова должны будут разрушить это состояние и построить на его месте более удобное. Так, одно за другим, чередуются и выясняются состояния, ступень за ступенью, пока не наступит состояние, исправленное настолько, что в нем совершенно не будет искр зла.

Находим, что суть всех зерен, из которых произрастают и берут свое начало хорошие состояния, это не что иное как неисправленные действия. То есть все зло, совершаемое грешниками поколения, накапливается, пока мы не получаем такую его массу, которую общество уже не может выдержать. Тогда люди разрушают существующее состояние и создают более желательное состояние. Каждое частное зло становится силой неприятия, возникшей из осознания состояния.

«Книга открыта, и пишет рука» – означает, что каждое состояние, в котором находится то или иное поколение, похоже на книгу, и каждый совершающий зло похож на пишущую руку. Каждое зло принимается и записывается в книгу, пока не накопится до такой степени, что общество не сможет больше находиться в нем. Тогда люди разрушают это плохое состояние и переходят, как было сказано, в более желательное состояние. Каждое действие принимается во внимание и записывается в книгу, и речь, как сказано, идет о состоянии.

«Каждый, кто хочет взять взаймы, пусть придет и возьмет». Это значит, что мир – это не открытый беспризорный магазин без хозяина, а есть в нем хозяин-лавочник, который требует с каждого берущего, чтобы заплатил ему цену, соответствующую товару, который берет из магазина. Это означает, что человек должен стараться выполнять работу Творца в течение того времени, пока пользуется этим магазином, так, чтобы гарантировать достижение цели творения, как того желает Творец.

Такой человек считается «желающим взять взаймы» еще до того, как он протянет руку взять что-то в этом мире – магазине. Ведь он берет взаймы с тем, чтобы заплатить установленную цену. И это означает, что он принимает на себя обязательство работать и достичь цели Творца в течение времени, пока пользуется магазином, и гарантирует оплатить долг настойчивостью в достижении желаемой цели. Поэтому называется он желающим взять взаймы, так как порабощает себя обещанием погасить долг и расплатиться.

В соответствии со сказанным, есть два типа людей:

• Первый тип – люди, считающие, что «магазин открыт», и относящиеся к этому миру неосознанно, как к открытому магазину без хозяина. Это о них сказано: «Книга открыта, и пишет рука». То есть несмотря на то что они не видят никакого учета, все их дела, как сказано выше, записаны в книгу. Так действует закон развития, вычеканенный в творении для обязательного исполнения человечеством, когда действия грешников сами порождают хорошие действия.

• Второй тип людей называется «желающими взять взаймы». Это те, кто осознанно считаются с хозяином и когда берут что-либо в магазине, то берут взаймы, обещая хозяину заплатить установленную цену, удостоившись тем самым цели творения. И это о них сказано: «Каждый, кто хочет взять взаймы, пусть придет и возьмет».

Возникает вопрос: в чем разница между людьми первого типа, которые неизбежность достижения конечной цели постигают через закон развития, и людьми второго типа, которые соприкасаются с конечной целью через собственное закрепощение в работе Творца? Разве люди этих двух типов не равны в достижении цели? «Но сборщики налогов возвращаются каждый день, и взимается плата с человека, осознает он это, или нет».

Истина в том, что и те, и другие каждый день оплачивают свои долги соответственно мере долга. При этом действуют особенные силы, появляющиеся во время этой работы, названные преданными сборщиками налогов, каждый день взимающими долг в точном размере, до полного его погашения. Именно прочные, незыблемые силы, отпечатанные в законе развития, считаются преданными сборщиками налогов, ежедневно и в постоянном размере взимающими долг, пока он не будет уплачен полностью. В этом смысл сказанного: «И сборщики налогов постоянно возвращаются, каждый день, требуя плату с человека».

Однако между состояниями «осознанно» и «неосознанно» есть огромное различие. В одном из них долги взимаются сборщиками налогов по закону развития. Люди этого типа возвращают свои долги «неосознанно». Бушующие волны, поднятые ураганом закона развития, настигают их, толкают сзади, и заставляют шагать вперед. Оплата долга взимается насильно, через непомерные страдания от проявления сил зла, давящих сзади. Вместе с тем, у людей второго типа оплатой долга является достижение цели «осознанно» и по собственному желанию, что в результате драгоценной работы, являющейся средством ускорения развития чувства осознания зла, приводит к цели развития.

Выполняя эту работу, мы выигрываем дважды:

• Один выигрыш в том, что силы, которые появляются при выполнении работы, притягивают, как магнит. Так, что люди тянутся к ним по собственному желанию, движимые чувством любви. Нет надобности упоминать, что при этом пропадают все страдания и горечи, присущие первому типу.

• Второй выигрыш в том, что ускоряется приближение желаемой цели. Ведь это – праведники и пророки, которые удостаиваются и достигают цели в каждом поколении.

Огромное отличие между теми, кто платит осознанно, и теми, кто делает это неосознанно, заключается в преимуществе света наслаждения и удовольствия перед тьмой страданий и болезненных ударов. И сказано также: «И есть им на что надеяться, и суд – суд истины». То есть тем, кто платит осознанно и по собственному желанию – «есть им на что надеяться». В работе Творца заключается великая сила, способная привести их к возвышенной цели. И им стоит взвалить на себя бремя Его работы. А о тех, кто платит долги неосознанно, сказано: «И суд – суд истины».

На первый взгляд, кажется странным управление Творца, которое допускает все те несправедливости и страдания, которые проявляются в мире, в которых человечество безжалостно поджаривается. Об этом говорится, что этот суд – «суд истины», потому что все исправлено и готово к трапезе в соответствии с конечной справедливой целью. Высшее наслаждение раскроется в будущем вместе с достижением творениями конечной цели Творца. Любой труд, любое усилие и страдания, происходящие в каждом поколении, напоминают нам образ хозяина дома, который прилагает огромные усилия, чтобы приготовить роскошную трапезу для приглашенных гостей. А ожидаемая цель, которая, в конце концов, должна быть достигнута, напоминает трапезу, которую с огромным наслаждением вкушают гости. Об этом сказано: «Суд – суд истины, и все исправлено и готово к трапезе».

Тогда раскроется вся истина в словах пророка: «И волк будет жить рядом с агнцем, и тигр будет лежать с козленком... Потому что наполнится земля знанием о Творце, как вода наполняет море». Это значит, что мир во всем мире ставится в зависимость от наполнения мира знанием о Творце.

Как мы говорили выше, жесткое эгоистическое противостояние между человеком и его ближним обостряют отношения между народами. Все это не пройдет само по себе, и не помогут человечеству никакие советы и уловки – будет то, что должно быть. Ведь видно, как несчастный больной корчится от нестерпимой боли, причиняемой ему со всех сторон. Человечество уже бросалось к крайне правым, как в Германии, или к крайне левым, как в России, но не только не облегчило свое положение, а еще более ухудшило болезнь и боль.

И нет человеку другого совета, кроме как взвалить на себя бремя Творца, узнать Его. То есть, направить свои действия на отдачу Творцу, на достижение Его цели, как было задумано Им перед созданием творения. Когда люди сделают это, раскроется каждому, что в результате работы на Творца исчезнет у человечества даже мысль о зависти и ненависти, так как все человечество объединится в единое целое с одним сердцем, наполненным знанием Творца. Ведь мир в мире и познание Творца – это одно единое целое.

СОЗИДАЮЩИЙ РАЗУМ

Что такое созидающий, действующий разум? Единственный, кто действует в мире, это Творец. Он создал желание наслаждаться и воздействует на это желание. Продолжая свое развитие, творение опирается на те же самые начала, на силы и свойства, которые отпечатал в нем Творец. Пытаясь совершать самостоятельные действия, творение не понимает, что на самом деле это Творец действует в нем. И потому наша задача – постичь помыслы Того, кто нами управляет. Мы хотим понять, каковы Его намерения, чего Он хочет от нас и к чему ведет.

Устанавливая связь с Творцом из состояния скрытия, мы проявляем разум Творца, по Его действиям знакомимся с Ним самим. Таким образом «материя», т.е. желание, именно благодаря скрытию самостоятельно выходит на ступень Творца, на уровень замысла творения.

От редакции

Каждый человек обязан достичь корня своей души. Это означает, что желаемой и ожидаемой целью творения является его слияние со свойствами Творца: «Как Он милосерден, так и ты...» Как известно, свойства Творца – это сфирот. В этом и заключается тайна действующего разума, управляющего своим миром и соизмеряющего посредством сфирот благо, получаемое от Творца.

Выясним, почему осмысливание действующего разума называется слиянием с Творцом. Ведь на первый взгляд, это просто изучение. Разъясним это на примере. В каждом действии сохраняется осуществивший его разум. Глядя на стол, можно понять разум столяра, а также степень его прилежания. Ведь он делал свою работу с помощью разума и своих свойств. Если человек смотрит на результат чьего-либо труда и думает о кроющемся здесь разуме, то на практике сливается с этим разумом и поистине объединяется с ним.

На самом деле нет расстояния и разделения между духовными объектами. Даже когда они проявляются в разделенных телах, то разумное, заключенное в них, является общим. Ведь каким ножом можно отрезать от духовного отдельную часть?

Духовные объекты различаются по свойствам в зависимости от более превосходной, или более низкой степени. В духовном люди отличаются друг от друга только по указанному критерию. Так же разум ученого-астронома отличается от разума ученого-химика. Даже в одной науке имеется сложная структура, так как один человек всегда чем-то превосходит другого. Но когда два ученых занимаются одной наукой на одном уровне, соответствующем степени их развития, тогда они действительно объединены. Ведь в этом случае их ничто не разделяет.

Поэтому, когда один осмысливает действие другого и постигает его разум, выходит, что оба имеют одинаковую силу и разум, и сейчас они действительно объединены. Это подобно человеку, обнявшему при встрече своего любимого друга. Их невозможно разлучить вследствие большой степени единения между ними.

Существует правило, согласно которому разум человека является более подходящим с точки зрения отношений Творца и творений, поскольку является промежуточным звеном. Он создает одну искру той силы, с помощью которой все возвращается к Нему. Сказано: «все мудро сделал». То есть все в мире Творец создал с великой мудростью.

Поэтому удостоившийся постичь способы, которыми Творец создал мир и его порядок, сливается с разумом, создавшим их. Это означает – сливается с Творцом.

Сказано, что Тора – это все имена Творца, которые относятся к творению, и посредством которых творение постигает разум, созидающий все, поскольку в Тору смотрел Творец, когда создавал мир. С помощью света, который человек постигает через творение, он навсегда сливается с этим разумом, а это означает, что сливается с Творцом. Отсюда понятно, что Творец показал нам искусное кли, чтобы мы построили миры. Ведь показал Он нам Свой порядок, чтобы мы знали, как присоединиться к Нему, что означает «слиться с Творцом по свойствам».

ПРЕДИСЛОВИЕ К КНИГЕ ЗОАР

Вопросы, которые поднимаются в этой статье, относятся к числу наиболее сложных. Как мог совершенный Творец сотворить мир, кажущийся столь несовершенным? Как можно создать творение из ничего? Что такое душа, в чем ее суть? Какова роль каждого человека в мироздании?

Нужно помнить, что окружающий мир является отображением внутренних состояний. Наши свойства проецируются на сознание и рисуют субъективную картину «внешней» реальности. Изменив свое внутреннее состояние, мы выйдем на другой уровень восприятия – туда, где кончаются иллюзии и все сливается в единое целое.

Статья рассказывает об этапах духовного роста и о том, что несет нам современная эпоха. Сегодня весь мир стоит на пороге кризиса и ему необходимо исправление. Методика для этого уже готова, и всеобщий духовный подъем необходимо начать как можно скорее.

От редакции

1. Попытаемся в данной статье выяснить некоторые на первый взгляд простые истины, объяснить которые пытались многие, и много чернил было пролито для их выяснения.

1) Что является нашей сутью?

2) Какова наша роль в длинной цепочке действительности, где мы – ее малые звенья?

3) В своих качествах мы – самые испорченные из творений. Но если наш Создатель совершенен, мы должны стать вершиной всего творения?

4) Если Творец абсолютно добр и творит лишь добро, как Он мог создать творения, вся жизнь которых проходит в страданиях?

5) Как от вечного Творца произошли смертные творения?

2-3. Дополним эти вопросы исследованиями на следующие темы.

1) Может ли творение являться новой реальностью, которой раньше не было в Творце, если все включено в Творца?

2) Если творение – то новое, чего нет в Творце, что же он создал из ничего?

Творец всесилен и, конечно, может создать нечто из ничего, то есть, то, чего в Нем нет. Но что это за реальность, которая совершенно не включена в Творца и является чем-то новым?

3) Душа человека – часть Творца, но как можно отделить от Творца часть?

4) Если эгоизм противоположен и ненавистен Творцу, то зачем Он породил и питает его?

5) Если эгоистические желания («тело») столь низки, что пока не исчезнут, альтруистические желания («душа») не смогут достичь Творца, то зачем надо воскрешать эгоизм («тело»), а затем исправлять его?

6) Человек – центр творения и все творение создано для него. Но зачем нужно все это обычному маленькому человеку?

4. Ответить на эти вопросы мы сможем, только поняв конец действия, то есть, цель творения. Ведь весь процесс происходит только ради достижения цели. Если утверждать, что Творец создал творения и ввиду их ничтожности оставил их без Своего управления, то это говорит о несовершенстве самого Творца.

5. Поскольку сотворивший нас Творец совершенен, мы обязаны быть такими же совершенными, потому что любой недостаток в нас указывает на недостаток в Нем.

6. Замысел сотворения мира – в наслаждении творений. Известно, что чем желание насладиться (в каббале: «желание получить») больше, тем больше получаемое наслаждение. Таким образом, цель творения обязывает создать в душах огромное желание получить наслаждение, уготованное Творцом.

7. Ответ на исследование №2.

Если творение – некая новая реальность, которой нет в Творце, то, что же он создал из ничего?

Замысел творения, заключающийся в услаждении творений, обязывает создать в них желание насладиться именно тем, чем Творец задумал их наполнить. Это желание насладиться не находилось в Творце до того, как было создано в душах, он создал его из ничего. Кроме этого желания Творцу больше ничего создавать не требовалось, поскольку только желание насладиться необходимо, чтобы выполнить замысел творения – насладить. Ведь все наслаждение, которым он задумал наполнить нас, не создано, а напрямую исходит от него. Таким образом, весь материал творения – желание насладиться (желание получить).

8. Ответ на исследование №3. Как может от Творца отделиться часть? Посредством чего происходит отделение этой части? Почему часть Творца – душа творения?

Как в материальном мире топор разделяет целое на части, так в духовном мире возникающее различие свойств разделяет целое на части.

Например, если люди любят друг друга, говорится, что они близки друг другу. А если ненавидят друг друга, говорится, что они полярно далеки друг от друга. Речь не идет о пространственной близости или отдаленности, а о мере подобия свойств:

• когда нет отличия свойств, люди любят и не любят одно и то же – а потому считаются близкими и любящими друг друга;

• если есть какое-то отличие свойств – один человек любит что-то, чего не любит другой, – в меру этого люди отдаляются и не любят друг друга;

• если люди противоположны по свойствам – все, что любит один, ненавидит другой – они противоположны и ненавидят друг друга.

9. Таким образом, в духовном отличие свойств действует так же, как в нашем мире топор разделяет материальное тело на части. Мера удаления определяется мерой различия свойств. И именно наличие в душах эгоистического желания получать наслаждение отделяет их от Творца, поскольку в Творце вообще отсутствует эгоистическое желание.

От Творца исходит наполнение души светом, не отличающимся от Творца по свойствам. Но, поскольку свет облачается в иное, противоположное Творцу свойство, мера наполняющего света является уже отличной, и поэтому отделенной от Творца.

10. Ответ на исследование №4. Если эгоизм противоположен и ненавистен Творцу, зачем Он породил и питает его?

Суть творений – желание насладиться и поэтому они готовы получить все наполнение, задуманное Творцом в замысле творения. Изначально это желание создано в душах эгоистическим. Чтобы привести души в подобие себе, Творец создал две параллельные системы миров: 4 мира альтруистической системы АБЕА против 4 миров эгоистической системы АБЕА.

Эгоистические желания», как и творения, представляющие собой эти желания, называются в каббале «мертвыми». Эгоистическое желание получать противоположно отдаче, свойственной Творцу и отделяет души от источника жизни.

11. Миры ступенчато нисходят из мира Бесконечности до нашего мира, где творение разделяется на тело и душу.

Тело. Желание наслаждаться, нисходит из своего корня в замысле творения через эгоистические миры АБЕА и находится под их властью в течение определенного времени – «Периода неисправленности».

Душа. Затем, изучая каббалу, человек начинает исправлять желание получать на желание отдавать. В этой мере душа нисходит в тело (свет нисходит из своего корня в замысле творения через альтруистические миры АБЕА в желание отдавать) – и это время называется «Периодом исправления».

По мере вхождения души в тело (света в желание отдавать), человек духовно возвышается, пока не достигает своего корня в замысле творения. Этот процесс состоит из следующих этапов:

• получение наслаждение ради себя (получение ради получения) – эгоистическое получение;

• отдача ради себя (отдача ради получения) – эгоистическая отдача;

• отдача ради Творца (отдача ради отдачи) – альтруистическая отдача;

•получение ради Творца (эквивалентно отдаче, получение ради отдачи) – альтруистическое получение.

Тем самым человек достигает слияния с Творцом по свойствам и становится достойным получить все благо, уготовленное Творцом в замысле творения.

12. В результате исправления первородного эгоистического желания посредством изучения науки каббала и использования каббалистической методики исправления свойство получения обращается в свойство отдачи. Человек по-

лучает все благо, заложенное в замысле творения, и достигает слияния с Творцом. Такое состояние определяется как «Конец исправления».

И тогда система эгоистических сил исчезает, поскольку в ней нет более надобности. А также прекращается работа по исправлению, данная каждому в кругооборотах его жизней в течение 6000 лет только для того, чтобы достичь полного исправления. Выясняется, что система эгоистических сил возникла из альтруистических сил Творца и существует за их счет. С помощью системы эгоистических сил создаются тела – желания наслаждаться, которые впоследствии предстоит исправить и получить вознаграждение.

13. Однако, как вообще в замысле творения, в совершенстве Творца могло зародиться низменное желание?

Для претворения замысла Творцу не требуется действий. Его мыслью вся реальность создается одновременно. Поэтому создание творения завершилось вместе с появлением его замысла, и сразу появились души и миры в их конечном совершенстве, наполненные всем наслаждением, задуманным Творцом. Но это совершенное состояние существует только относительно Творца, а души ощутят его лишь после исправления, когда станут подобными Творцу.

14. Итак, души проходят три состояния.

1) В мире Бесконечности, в замысле творения, где души уже имеют будущий вид Конца исправления.

2) С помощью двух параллельных систем АБЕА тело (желание получать) и душа (желание отдавать) разделяются, и производится работа по исправлению и преобразованию желания получать в желание отдавать в течение 6000 лет. В этот период исправляются души (приобретается желание отдавать), но не тела. То есть, желание получать не используется.

3) После исправления душ происходит «воскрешения мертвых» – возрождение желаний получать, их исправление на отдачу.

Так первородное желание наслаждаться обретает форму отдачи и становится достойным получить все благо, заключенное в замысле творения, и тем самым, удостаивается полного слияния по свойствам с Творцом.

15. Три состояния, которые проходят души в своем развитии, настолько взаимообусловлены, что, если бы не существовало одного из них, исчезли бы и остальные.

• Если бы не существовало состояние 1 со всем совершенством состояния 3, то не появилось бы и состояние 2. Поэтому состояние 1 обуславливает появление противоположных систем в состоянии 2, где система нечистых миров АБЕА породила желание получать, чтобы появилась возможность его исправить и достичь состояния 3. Поэтому состояние 1 обуславливает состояние 2.

• Если бы не было работы по исправлению в состоянии 2, приводящей к состоянию 3, то не наступило бы и состояние 3. Поэтому состояние 2 обуславливает состояние 3.

• Если бы не проявилось состояние 3, где свойство получения обратилось в свойство отдачи, то не было бы состояния 1, ведь оно – копия из будущего состояния 3. Поэтому состояние 3 обуславливает состояние 1.

16. Возникает вопрос: если души в своем развитии неизбежно достигнут состояния 3, поскольку оно уже заложено в состоянии 1, то в чем же тогда свобода выбора человека?

Дело в том, что Творец приготовил нам два пути, чтобы из состояния 2 привести нас к состоянию 3:

• путь каббалы – желанное и быстрое исправление Высшим светом;

• путь страданий – вынужденное и медленное исправление страданиями.

Так или иначе, состояние 3 (Конец исправления) – обязательно и предрешено состоянием 1. Вся свобода выбора человека – только в выборе между путем страданий и путем каббалы.

17. Ответ на вопрос 3. Как мог совершенный Творец создать столь несовершенные творения?

Из сказанного ясно, что наше нынешнее тело, то есть, наши ничтожные желания – это вовсе не наше истинное тело. Ведь наше истинное тело-желание, вечное и совершенное, уже существует в мире Бесконечности в состоянии 1, в форме отдачи, присущей будущему состоянию 3 в подобии свойств с миром Бесконечности.

Таким образом, из состояния 1 вытекает, что в состоянии 2 у нас должно быть эгоистическое, испорченное желание получать ради себя, отделяющее нас от Творца. Исправив его, мы обретем вечное тело в состоянии 3. И нечего негодовать на испорченные желания, ведь для выполнения нашей работы по исправлению мы должны подняться над своим испорченным эгоистическим телом.

На самом деле, даже будучи в состоянии 2, мы пребываем в совершенстве, соответствующем совершенному Творцу, который нас создал. Нынешнее испорченное тело не вредит нам, ведь оно должно умереть и исчезнуть, и дано нам лишь на время, чтобы, поднявшись над ним, мы могли обрести свою вечную форму.

18. Ответ на вопрос 5. Возможно ли, чтобы от вечного Творца исходили действия временные?

Из сказанного выше понятно, что в действительности мы находимся в вечном и совершенном состоянии, как творения вечные и совершенные. Это состояние обязывает к тому, чтобы данный нам только для работы по исправлению эгоизм тела, был уничтожен.

Как сказано в п. 13, желание получать ради себя как испорченная форма нашего тела не существует в замысле вечного творения. Ведь в замысле творения мы находимся в совершенном состоянии 3, а желание получать проявляется лишь в состоянии 2, чтобы позволить нам его исправить.

Прочие творения, кроме человека, не имеют свободы воли. Их состояния определяются человеком как центром творения, и они поднимаются и падают вместе с подъемами и падениями человека.

19. Ответ на вопрос 4. Почему добрый Творец заведомо создал творения, которые страдали бы и мучились в течение всей своей жизни?

Все страдания обусловлены состоянием 1, в котором совершенное состояние человека предопределяется состоянием 3, к которому человеку предстоит идти путем каббалы или путем страданий. Страдания ощущаются лишь в испорченном теле (эгоистических желаниях), которое создано лишь для того, чтобы его исправить (уничтожить и удалить из мира), обратив в желание отдавать. Страдания, которые мы испытываем, даны только для того, чтобы мы обнаружили ничтожность и вред эгоистического желания.

Когда все люди согласятся уничтожить в себе эгоистическое желание (желание получать ради себя) и обретут альтруистическое желание (желание отдавать другим, желание получать ради Творца), они устранят этим все тревоги и все зло в мире. Тогда каждый будет уверен в здоровой и полной жизни, потому что весь мир будет заботиться о нем и его нуждах.

Но пока в человеке есть только эгоистическое желание получать ради себя, он продолжает оставаться источником тревог, страданий, болезней, убийств и войн, ненависти к другим. Спасение от них – только в исправлении нашего желания. И все страдания в мире даются только для того, чтобы раскрыть нам глаза, подтолкнуть нас избавиться от эгоизма тела и развить желание отдавать. И знай, что отношения между товарищами важнее отношений с Творцом, потому что отдача товарищам приводит к отдаче Творцу.

20. Ответ на вопрос 1. Что является нашей сутью?

Наша суть – желание получать, но не в виде желания получать для себя, во власти которого мы находимся в состоянии 2, а в виде желания доставлять наслаждение Творцу (состояние 1).

В действительности мы еще не достигли состояния 3. Но, поскольку оно гарантировано состоянием 1, то мы как будто уже находимся в нем. Наши неисправленные желания (бренное тело), данные нам в настоящем, мы можем считать несуществующими, поскольку они должны исчезнуть. А суть души, облаченной в тело, то есть, желание отдавать, происходящее из системы чистых миров АБЕА, существует вечно, поскольку тождественно Творцу.

21. Творения отличаются только желаниями, необходимость удовлетворения которых требует развития разума. Насколько различаются желания, настолько же различаются и мысли и знания.

Так, если желание ограничено только животными потребностями, то мысли направлены лишь на наполнение этого желания. И, хотя человек использует разум, но разум его подобен разуму животного, поскольку обслуживает животное желание. Если же желание требует человеческих наслаждений (почести, власть), то мысли направлены на наполнение этого желания. А если желание требует знаний, то мысли направлены на наполнение знаниями.

22. Существует три вида желаний:

• Пища, секс, кров, семья – телесные или животные желания. Эти желания существуют так же и у животных.

• Почести, слава, власть – общественные желания. Эти желания порождаются окружающим обществом.

• Знания – человеческие желания.

В любом человеке все виды желаний сочетаются в индивидуальной пропорции. Именно это уникальное для каждого человека сочетание желаний определяет отличие людей друг от друга.

23. Итак, души – желание получать, после облачения в отраженный свет, получаемый из миров чистой системы АБЕА, обретают намерение ради Творца – желание отдавать. Облачаясь в тело человека, душа в соответствии с величиной

своего желания рождает в нем потребность отдачи, которая побуждает мысли о том, как доставить наслаждение Творцу.

24. Поскольку тело – желание получать для себя во всех его проявлениях, ему изначально предопределено быть уничтоженным. Поэтому само тело смертно и не оставляет ничего после завершения существования, теряя также все свои приобретения. А суть души – желание отдавать, и все ее проявления и приобретения наполнены этим желанием, которое уже существует, как в вечном состоянии 1, так и в будущем состоянии 3. Поэтому душа вместе с ее проявлениями бессмертна и не исчезает со смертью тела. Напротив, освобождение от неисправленного тела укрепляет ее настолько, что она может прийти к совершенному состоянию 3 в Конце исправления.

Таким образом, бессмертие души не зависит от приобретенных знаний, а заложено в ее сути, в желании отдавать. А приобретенные знания не связаны с сутью души и являются ее вознаграждением.

25. Ответ на исследование 5. Если желание настолько испорчено, что пока оно не разложится, душа не может войти в него, зачем воскрешать мертвых со всеми их изъянами?

Замысел творения заключается в наслаждении творений. Он предопределяет создание в душах огромного желания получить это наслаждение. Это огромное желание является единственным новым творением, ведь само наслаждение исходит от Творца.

Огромное желание получить наслаждение взращивается в этом мире под воздействием системы нечистых миров. Изучая каббалу, по мере исправления человек исправляет его и переходит к получению от системы чистых миров.

В течение 6000 лет работы исправляется не тело (желание получать), а только душа. По мере подъема души по духовным ступеням увеличивается ее желание отдавать.

Потому предназначение тела – умереть, быть погребенным, сгнить. Однако, если исчезнет это огромное желание получать, то не исполнится замысел творения, то есть, не будут получены все огромные наслаждения, уготованные Творцом?

26. Состояние 1 предопределяет состояние 3, следовательно, обязывает и воскрешение мертвых тел – огромного желания получать. Тело умирает и, разложившись в состоянии 2, обязано воскреснуть заново во всей величине желания получать со всеми бывшими в нем изъянами. Тогда начинается работа по его исправлению и преображению в желание отдавать ради Творца.

От этого мы выигрываем вдвойне:

• Возникает желание, способное получить все блага, заключенные в замысле творения.

• Получение ради отдачи эквивалентно отдаче, оно ведет к подобию Творцу и слиянию с Ним в состоянии 3.

27. Воскрешение мертвых должно произойти перед окончанием исправления, в конце состояния 2. После нейтрализации желания получать мы обретаем желание отдавать. При этом мы поднимаемся на уровни наполнения светом нэфеш, руах, нэшама, хая, ехида и достигаем совершенства. Теперь можно снова оживить огромное желание получать и исправить его, то есть, придать ему форму отдачи. Таков метод исправления любого плохого свойства, от которого мы хотим избавиться. Вначале необходимо полностью от него отказаться, чтобы не осталось от него ничего, а затем вернуться к его правильному использованию в средней линии. Но пока мы полностью не отказались от него, его невозможно использовать.

28. Вначале воскресает к жизни то же тело – огромное желание получать, взращенное системой нечистых миров со всеми его изъянами. Затем начинается работа по приданию этому огромному желанию получать формы отдачи. И тогда оно воскрешается к жизни, поскольку достигает подобия Творцу.

Итак, созданное Творцом огромное желание получать, временно отдается во власть эгоистических желаний (нечистых миров АБЕА, клипот). Затем производится его исправление в состоянии 2 (от чистых миров АБЕА) до исправленного состояния 3, в котором оно получает все блага замысла творения.

29. Ответ на вопрос 2. Какова наша роль в длинной цепочке действительности, малыми звеньями которой мы являемся?

Наша работа делится на 4 периода:

Первый период. Находясь под властью системы нечистых миров АБЕА, человек приобретает огромное желание получать. Если он не разовьет неисправленное желание получать в достаточной мере, он не сможет исправить его и получить блага замысла творения. Оно должно быть увеличено под воздействием системы нечистых сил АБЕА. Нечистые силы должны управлять человеком и наполнять его, увеличивая этим его желание получать. При рождении человек получил определенную порцию желания, но, когда нечистые силы наполняют это желание, оно немедленно увеличивается вдвое.

Когда нечистые силы снова дают желаемое, желание немедленно увеличивается вчетверо. И если человек не обращает желание получать в отдачу, изучая каббалу, он умирает, так и не достигнув желаемого. Таким образом, задача клипот и нечистых сил сделать желание неограниченным, чтобы исправив его, человек получил весь свет Творца.

30. **Второй период** – после развития желания получать до нужной меры в нем пробуждается новое желание, называемое «точка в сердце», – обратная сторона души, облаченная в это желание изначально. Это новое желание проявляется только после достаточного развития желания получать. По мере занятия каббалой человек, переходит под власть системы чистых миров АБЕА. В этот период человек развивает духовное желание. Ведь от рождения у человека желания человека направлены только на материальное. И хотя он до-

стиг огромного желания получать, его рост еще не закончен. Завершением роста желания получать является стремление к духовному. Прежде человек желал богатства и почета материального мира, а теперь приобретает огромное желание к духовному – хочет поглотить все блага Высшего вечного мира.

31. Второй период важнее первого, поскольку в это время человек постигает истинное желание получать в полной мере. И хотя его желание по-прежнему остается эгоистическим, но оно приводит человека к намерению «ради Творца». Однако, от человека требуются максимальные усилия для того, чтобы достичь намерения «ради Творца», иначе он надолго упадет в нечистые желания. Этот период завершается ступенью – возжелать насладиться Творцом подобно возлюбленному, обуреваемому страстным желанием.

32. **Третий период.** В этот период приобретается намерение «ради отдачи» на желание получать, которое таким образом становится эквивалентным желанию отдавать. В мере исправления и уподобления свойств желания и света в пять частей исправленного желания (в 5 частей души) входит весь свет НАРАНХАЙ.

Четвертый период. В течение этого периода производится работа по воскрешению мертвых желаний. После того, как желание получать исчезло (умерло и погребено), оно вновь воскрешается в полном объеме и наихудшем виде и исправляется на «получение ради отдачи». Некоторые каббалисты удостаиваются этой работы еще при жизни в нашем мире.

33. Теперь мы можем сформулировать ответ на исследование 6: зачем для маленького человека Творец создал все Высшие и низшие миры?

Вся радость Творца от наслаждения творений состоит в том, чтобы творения ощутили Его как Дающего. Так радуется отец игре с ребенком. Именно для этих наслаждений и забав с исправленными и совершенными творениями создано Им все мироздание, которое нам еще предстоит раскрыть.

34. Развитие творений по направлению к цели происходит по четырем последовательным ступеням:

•неживая;

•растительная;

•животная;

• человек.

Эти ступени отражают четыре уровня желания каждого из Высших миров АБЕА. И хотя основным является четвертый уровень желания получать, его можно достичь только посредством постепенного развития на трех предшествующих уровнях.

35. Неживой уровень – первая ступень желания получать, начало раскрытия желания получать в нашем материальном мире. Он содержит в себе только общую силу движения всех неживых видов, а частное движение его частей незаметно. Ведь желание получать порождает потребности, а потребности порождают движение, достаточное, чтобы достичь необходимого. Но поскольку желание получать крайне мало, то его власть проявляется только в целом и незаметна в деталях.

36. Растительный уровень. Желание получать на второй ступени больше, на первой, оно господствует в ней над каждой деталью. Поэтому каждой части свойственно свое собственное движение, но отсутствует ощущение свободы выбора.

37. Животный уровень. Желание получать на третьей ступени столь велико, что порождает в каждой своей части ощущение свободы выбора, представляющее собой особую жизнь каждой части, отличную ей подобных. Но на животном уровне еще нет ощущения ближнего, то есть, нет основы сочувствовать страданиям другого или радоваться удачам другого.

38. Человек – четвертая ступень желания получать. Желание на этой ступени полностью оформлено, потому что

в нем действует ощущение ближнего. Различие между желаниями четвертой и третьей ступени такое же, как между всем мирозданием и единичным творением.

В желании животного уровня отсутствует ощущение себе подобных, а потому оно не в состоянии породить желания и потребности большие, чем данные от рождения. Тогда как ощущение себе подобного в человеке рождает потребность во всем, что есть у другого. Он всегда хочет вдвое больше, чем имеет, пока его желание не охватывает весь мир.

39. Цель Творца – наслаждение творений, чтобы они постигли Его величие и истину и получили от Него все блага и наслаждения, уготовленные для них. Эта цель не относится:

• к неживым телам, таким, как Солнце, Луна, Земля, несмотря на их размеры и значение;

• к растительному или животному уровням, поскольку они не ощущают желания других субъектов, даже подобных их виду, и тем более не могут ощутить Творца и его благо.

Только человеческому уровню свойственно ощущение себе подобных. Это позволяет обратить желание получать в желание отдавать путем изучения каббалы, получить все ступени НАРАНХАЙ Высших миров и достичь цели творения.

40. Такое мнение не признается некоторыми учеными, которые не могут согласиться с тем, что человек, столь ничтожный в их глазах, является центром всего великого творения. Но они подобны червяку, который родился внутри редьки и думает, что весь мир Творца так же горек, лишен света и мал, как та редька, в которой он сидит.

Так же считают и те, кто находится в кожуре – твердой оболочке желания получать. Они не пытаются пробить ее с помощью изучения каббалы и обратить желание получать в желание отдавать Творцу. Поневоле они приходят к выводу, что они ничтожны и пусты, каковы и есть на самом деле, и представить не могут, что все огромное творение создано только для человека.

Но если бы они применили каббалу, то пробили бы оболочку желания получать, подобно червяку, который пробивает кожуру, выглядывает наружу из редьки, поражается и восклицает: «Я считал, что весь мир подобен редьке, в которой я родился, но теперь я вижу перед собой огромный, светящийся, прекрасный мир»!

41. Но зачем все-таки человеку все Высшие миры, созданные для него Творцом? Вся действительность, все мироздание делится на пять миров:
•Адам Кадмон,
• Ацилут,
• Брия,
• Ецира,
• Асия.

В каждом из миров – бесконечное число деталей, сводящихся к пяти сфирот:
• Кетэр;
• Хохма;
• Бина;
• Тифэрэт;
• Малхут.

Кроме того, каждый мир соответствует основной из пяти сфирот мироздания:
• Мир Адам Кадмон – Кетэр;
• мир Ацилут – Хохма;
• мир Брия – Бина;
• мир Ецира – Тифэрэт;
• мир Асия – Малхут.

Света, облачающиеся в эти пять миров, называются НАРАНХАЙ:
• свет йехида светит в мир Адам Кадмон;
• свет хая – в мире Ацилут;
• свет нэшама – в мире Брия;
• свет руах – в мире Ецира;
• свет нэфеш – в мире Асия.

Все миры и все, что имеется в них, входит в имя Творца АВАЯ:
• мир Адам Кадмон обозначается точкой начала буквы юд, поскольку он непостигаем;
• мир Ацилут обозначается буквой юд;
• мир Брия обозначается буквой хэй;
• мир Ецира обозначается буквой вав;
• мир Асия обозначается буквой хэй.

42. Все части духовного творения, от мира Бесконечности до нашего мира, также взаимно включается друг друга, и поэтому каждый из пяти миров состоит из пяти сфирот в которых находятся пять светов НАРАНХАЙ, соответствующие пяти мирам:
• Кетэр – свет йехида;
• Хохма – свет хая;
• Бина – свет нэшама;
• Тифэрэт – свет руах;
• Малхут – свет нэфеш.

Но кроме пяти сфирот каждого мира, есть также четыре духовных уровня:
• уровень человек – душа человека;
• уровень животный – ангелы этого уровня;
• уровень растительный – одеяния;
• уровень неживой – чертоги.

Эти уровни облачаются друг в друга:
• уровень человек – души людей – облачается в 5 сфирот – часть Творца в том мире;
• уровень животный – ангелы – облачается в души;
• уровень растительный – одежды – облачается в ангелов;
• уровень неживой – чертоги – облачается на все предыдущие;

Облачение означает взаимное служение друг другу и развитие. Неживой, растительный, животный уровни – созданы не для себя, а только для помощи человеческому уровню –

душам людей. И поэтому считается, что все они облачаются на душу человека, то есть, помогают ей.

43. От рождения человек получает «чистую душу» в виде обратной, последней ее части, называемой, ввиду ее незначительности, точкой. Она помещается в желание получать, называемое сердцем человека.

По закону единства общего и частного – все, что действует во всем мироздании, действует и в каждой его части. Пять сфирот Кетэр, Хохма, Бина, Тифэрэт и Малхут, присутствуют в каждой самой малой части любого мира. Наш мир также разделен на уровни, соответствующие сфирот:

• Кетэр – корень всего;
• Хохма – человеческий уровень;
• Бина – животный уровень;
• Тифэрэт – растительный уровень;
• Малхут – неживой уровень.

В каждом человеке есть те же уровни – неживой, растительный, животный и человек – четыре части его желания получать, в котором помещена точка «чистой души».

44. После того как желание развивается в течение многих жизней, человек инстинктивно находит место занятий наукой каббала, благодаря изучению которой его точка в сердце растет и оказывает все большее воздействие на человека.

Учеба по истинным каббалистическим источникам в группе людей, устремленных к цели, даже без правильного альтруистического намерения, исправляет желание неживого уровня и выстраивает 613 желаний точки в сердце в соответствие с уровнем неживой чистой души (чистой нэфеш). А когда человек завершает все 613 исправлений, тем самым он создает 613 частей точки в сердце – чистой души неживого уровня:

• 248 духовных органов строятся исправлением 248 исполнительных желаний.

• 365 духовных органов строятся исправлением 365 запретительных желаний.

При этом образуется полный парцуф чистой души, который поднимается и облачает сфиру Малхут духовного мира Асия.

Все части духовных уровней (неживой, растительный, животный) этого мира, соответствующие сфире Малхут мира Асия, служат поднявшемуся к ним парцуфу нэфеш человека. Человек использует их и получает от них духовную пищу, силу, чтобы расти и увеличиваться до тех пор, пока он не сможет притянуть свет сфиры Малхут мира Асия во всей полноте и светить им в желаниях (теле) человека. Этот полный свет помогает человеку преумножить усилия в исправлении и получить остальные ступени.

Как при рождении тела человека рождается в нем точка света нэфеш, так же при рождении парцуфа «чистой нэфеш» вместе с ним сразу рождается точка более высокой ступени – последний уровень света руах мира Асия, помещенный во внутреннюю часть парцуфа нэфеш. По такому же принципу на каждой новой ступени немедленно появляется последний уровень более высокой ступени. В этом состоит связь Высшего с низшим. Наличие точки Высшего в низшем, позволяет ему подняться на более высокую ступень.

45. Свет нэфеш называется светом неживого уровня мира Асия и он, соответственно, направлен на очищение (исправление) неживого уровня желания человека. Его действие в духовном мире подобно неживому уровню в материальном мире, где нет частного движения частей, а лишь общее движение охватывает все части в равной степени. Так и свет парцуфа нэфеш мира Асия, несмотря на то что есть в нем 613 светов, светит как общий свет и воздействует в целом на все в равной степени, без осознания частностей.

46. Сфирот состоят из света и келим. Свет сфиры исходит от самого Творца.

Келим (Кетэр, Хохма, Бина, Тифэрэт и Малхут) в мирах БЕА отдалены от Творца. Они отражают свет Бесконечности и проводят его лишь в мере исправленности получающих сосудов:

Свет Бесконечности – келим миров БЕА – души, получающие свет Бесконечности через келим миров.

Хотя сам свет един, но разделяется на НАРАНХАЙ в соответствии со свойствами келим:

• Малхут – самый плотный экран, более всего скрывает свет Бесконечности, который она проводит от Творца к получающим. Этого света достаточно для очищения лишь неживого уровня желания, и он называется свет нэфеш.

•Тифэрэт – менее плотный экран по сравнению с Малхут, проводит от Бесконечности к получающим свет, годный для очищения растительного уровня желания человека, – свет руах.

• Бина – экран еще тоньше, он проводит от Бесконечности свет, предназначенный для очищения животного уровня желаний, – свет нэшама.

• Хохма – тоньше всех. Свет, который она проводит от Бесконечности, предназначен для очищения желаний уровня «человек» – свет хая.

47. **Парцуф нэфеш.** Занимаясь каббалой даже без всякого намерения, человек исправляет неживой уровень желаний и строит парцуф Нэфеш, в котором есть точка от света руах.

Парцуф руах. Занимаясь каббалой, выполняя с намерением ради отдачи 248 исполнительных и 365 запретительных действий, человек исправляет растительную часть желаний и строит 613 духовных органов парцуфа Руах. Тогда он одевается на сфиру Тифэрэт мира Асия, которая проводит из Бесконечности свет руах, предназначенный для исправления растительных желаний человека.

Неживой, растительный и животный уровни мира Асия, относящиеся к уровню сфиры Тифэрэт, помогают парцуфу Руах человека получить весь свет от сфиры Тифэрэт. Название – «духовное растительное» исходит из того, что природа этого света сходна с растительным уровнем материального мира, где уже заметно движение каждой его части. Духовный свет растительного уровня обладает большей силой светить особыми способами каждому из 613 органов парцуфа Руах, каждый из которых проявляет свойственную ему силу. А с появлением парцуфа Руах, внутри него появляется и точка более высокой ступени – точка света нэшама.

48. **Парцуф нэшама.** Изучая каббалу на уровне «содот и таамим», человек исправляет животный уровень своего желания, и в этой мере увеличивает и строит точку нэшама, одевающуюся в 248 и 365 органов духовного «тела». Когда заканчивается строительство парцуфа, он поднимается и облачает сфиру Бина чистого мира Асия. Это кли намного более светлое, чем предыдущие келим Тифэрэт и Малхут, а потому из Бесконечности оно пропускает человеку большой свет, называемый свет нэшама.

Все уровни мира Асия, относящиеся к ступени Бины – неживой, растительный, животный, – помогают парцуфу нэшама человека получить весь свет от сфиры Бина. Это состояние называется также «чистым животным», потому что предназначено для исправления животного уровня в теле человека.

Природа его свечения по аналогии с животным уровнем материального мира, дает индивидуальное ощущение жизни каждому из 613 органов парцуфа. Они могут испытывать ощущения без всякой зависимости от всего парцуфа в целом настолько, что 613 органов становятся его 613-ю парцуфим, каждый из которых своеобразен и отличается по находящимся в них светам.

Преимущество света нэшама над светом руах в духовном соответствует тому, как в материальном мире животный уровень отличается от растительного и неживого. С появлением парцуфа нэшама в него помещается точка света хая, относящаяся к сфире Хохма.

49. **Парцуф Хая.** Когда человек удостоился столь большого света, называемого нэшама, и 613 органов этого пар-

цуфа уже светят каждый предназначенным ему полным светом, каждый – как отдельный парцуф, тогда раскрывается ему возможность выполнять каждое действие с намерением ради отдачи.

Каждому органу парцуфа нэшама светит свет, относящейся к этому органу. Большой силой этих светов исправляется уровень «человек» в его желании получать и обращает его в желание отдавать. В этой мере строится точка света ор хая, находящаяся в каждом из 613 его духовных органов.

Когда строительство парцуфа завершается, он поднимается и облачает сфиру Хохма мира Асия. Это кли необычайно «прозрачно» и поэтому проводит человеку из Бесконечности огромный свет, называемый свет хая. А неживой, растительный и животный уровни мира Асия, относящиеся к сфире Хохма, помогают человеку получить свет этой сфиры полностью.

Этот парцуф называется «духовным человеком» и устремлен на исправление человеческого уровня желаний. Роль света хая соответствует роли человеческого уровня по сравнению с неживым, растительным и животным в материальном мире. В отличие от них, человеческому уровню свойственно ощущение ближнего. Величина этого света превосходит света неживого, растительного и животного уровней в духовном по аналогии с соответствующими уровнями материального мира. Свет Бесконечности, облаченный в этот парцуф, называется свет йехида.

50. Пять светов НАРАНХАЙ, получаемые от мира Асия, являются всего лишь НАРАНХАЙ света нэфеш, потому что:

• свет нэфеш есть только в мире Асия;
• свет руах есть только в мире Ецира;
• свет нэшама есть только в мире Брия;
• свет хая есть только в мире Ацилут;
• свет йехида есть только в мире Адам Кадмон.

Однако все, что есть в общем творении, раскрывается также и в любой его части. Поэтому:

• Пять светов НАРАНХАЙ в мире Асия – это пять частей света нэфеш;

• Пять светов НАРАНХАЙ в мире Ецира – это пять частей света руах;

• Пять светов НАРАНХАЙ в мире Брия – это пять частей света нэшама;

• Пять светов НАРАНХАЙ в мире Ацилут – это пять света частей хая;

• Пять светов НАРАНХАЙ в мире Адам Кадмон – это пять частей света йехида.

Различие между ними такое же, как отличие между светами НАРАНХАЙ в мире Асия.

51. Желание исправиться принимается Творцом, если сам Творец свидетельствует, что это желание бесповоротно. Если человек исправил неживой уровень желания и выстроил парцуф Нэфеш, то он окончательно облачает Малхут мира Асия. Однако при этом исправление желаний растительного, животного и человеческого уровней не обязано быть окончательным. Поскольку все пять сфирот мира Асия относятся к ступени Малхут, тем самым человек обретает подобие миру Асия в целом.

Каждая сфира мира Асия получает свет от соответствующего уровня Высших миров.

• Сфира Тифэрэт мира Асия получает от мира Ецира, который соответствует ступени Тифэрэт и свету руах.

• Сфира Бина мира Асия получает от мира Брия, который соответствует ступени Бина и свету нэшама.

• Сфира Хохма мира Асия получает от мира Ацилут, который соответствует ступени Хохма и свету хая.

Человек окончательно исправил только неживой уровень, а остальные три части желания исправил неокончательно. Он может получать света руах, нэшама, йехида от Тифэрэт, Бина и Хохма мира Асия на непостоянной основе, но, если пробуждается одна из трех частей желания получать, он тут же теряет эти света.

52. Полностью исправив растительную часть желания и поднявшись в мир Ецира, человек окончательно постигает ступень руах и неокончательно – света нэшама и хая от сфирот Бина и Хохма.

53. После окончательного исправления животной части желания получать и его обращения в желание отдавать человек достигает подобия миру Брия и получает постоянно свет нэшама.

54. После окончательного исправления уровня «человек» своего желания, человек достигает подобия миру Ацилут, поднимается в него и получает постоянно свет хая. А затем человек постигает свет Бесконечности, и свет йехида облачается в свет хая.

55. Отсюда вытекает ответ на исследование 6: зачем человеку все эти Высшие миры, которые Творец создал для него?

Достичь свойства отдачи Творцу возможно только с помощью всех миров, так как в мере исправления желания постигаются света и ступени души – НАРАНХАЙ, которые помогают человеку в исправлении. Так поднимается по ступеням, пока не достигнет всего, уготовленного ему в замысле творения.

56. Все творение состоит из пяти этих ступеней НАРАН-ХАЙ. Все, что присуще творению в целом, присуще также каждой, даже самой малой его части. Например, даже в части «неживой» духовного мира Асия, можно постичь пять частей НА-РАНХАЙ, которые соотносятся с пятью частями НАРАНХАЙ всего творения. Поэтому невозможно постичь даже света неживого уровня мира Асия, не включив в исправление четыре части духовной работы:

• даже без намерения ради отдачи – для ступени нэфеш;
• с намерением ради отдачи – для ступени руах;
• изучать тайны вкуса – для ступени нэшама;
• с полным намерением ради отдачи – для ступени хая.

57. Из вышесказанного понятно, что причина духовной тьмы человечества в том, что люди не изучают науку каббала.

58. Одна из причин отстранения от изучения науки каббала в том, что каббалистические книги написаны в стиле неприемлемом и непонятном нашему поколению. Каббалистические книги описывают духовное, представляющее собой силы, в картинах в виде овеществленных образов. Поэтому есть необходимость переписать каббалистические первоисточники в современном академическом стиле.

59. Основа науки каббала – Книга Зоар. Каббалисты, постигающие ее внутреннее содержание считают, что ее написал рабби Шимон бар Йохай (II в.н.э.), а ученые, далекие от каббалы, приписывают ее авторство Моше дэ Лиону (XI век н.э.).

60. В соответствии с глубиной мудрости этой книги, ее автором может быть человек, не уступающий по уровню постижения рабби Шимону бар Йохаю.

61. Книга Зоар, как и вся наука каббала, была скрыта от человечества вплоть до нашего поколения. Причина этого в том, что мир в течение шести тысяч лет своего существования подобен парцуфу, имеющему три части: рош, тох, соф (ХАБАД, ХАГАТ, НЕХИ). По закону обратной зависимости келим и светов, первыми исправляются высшие килим, а в парцуф первыми входят низшие света. Поэтому:

• В течение первых 2000 лет исправляются келим ХАБАД, и входит в мир свет нэфеш.

• В течение вторых 2000 лет исправляются келим ХАГАТ, и в них спускается из келим ХАБАД свет нэфеш, а в опустевшие келим ХАБАД входит новый свет – руах.

• В течение последних 2000 лет исправляются келим НЕХИ, и в них спускается из келим ХАГАТ свет нэфеш, а в опустевшие келим ХАГАТ из келим ХАБАД спускается свет руах, а в опустевшие келим ХАБАД входит новый свет – нэшама. Это большой свет, исправляющий все творение и называющийся светом Машиаха (от глагола лимсох – «вытаскивать» человечество из свойства получения в свойство отдачи).

Таков порядок и для каждого отдельного парцуфа.

В келим ХАБАД, ХАГАТ до хазе парцуфа – светит только свет хасадим, а свет хохма светит только ниже хазе, в келим НЕХИ. Поэтому до келим НЕХИ в парцуфе мира свет хохма был скрыт от мира и начал проявляться в 1570 году, благодаря АРИ, душа которого смогла получить этот большой свет и раскрыть науку каббала миру. Но поскольку келим НЕХИ еще не были окончательно сформированы (АРИ умер в 1572 году), то мир еще не был готов к раскрытию света хохма. И только сейчас, в нашем поколении, раскрывается в полной мере эта наука исправления и возвышения мира к цели его сотворения.

63. Существует закон: «Светлые келим исправляются первыми». В соответствии с ним, души келим ХАБАД и ХАГАТ очень светлы и высоки, они обладают малым желанием (эгоизмом), и потому не способны получить большой свет хохма.

В нашем поколении НЕХИ – келим душ наихудшие, поэтому именно они дополняют келим парцуфа и завершают всю работу. В настоящее время завершено формирование келим рош, тох, соф парцуфа миров и парцуфа общей души. В полном объеме притягиваются в рош, тох, соф полные света НАРАН. Таким образом, только с завершением развития наших низших душ могут проявиться Высшие света.

64. Поэтому первые поколения важнее последних по своим келим (свойствам, желаниям), которые намного ближе к свойствам света. Но раскрытие науки каббала и Высшего света проявляется в последних поколениях больше. Ведь вследствие роста эгоизма в последних поколениях притягиваются более совершенные света, хотя души по своей сути являются наихудшими.

65. Из закона обратного соотношения келим и светов следует, что вначале появляются высшие келим с малым светом, а затем низшие келим с большим светом. Поэтому:

• первые поколения лучше последних в исправлении действием – в них раскрывается единицам малый Высший свет;

• последние поколения лучше первых в исправлении светом – именно в его низких келим раскрывается всему миру большой Высший свет.

66. Существует закон: «Мироздание в целом и каждая его деталь состоит из внутренней и внешней части». В соответствии с ним, человечество также делится на:

• внутреннюю часть мира – стремящихся к подобию Творцу;

• внешнюю часть мира – не стремящихся к подобию Творцу. Стремящиеся к подобию Творцу делятся на:

• внутреннюю часть – постигающих Творца путем изучения каббалы;

• внешнюю часть – изучающих пока иные методики. Не стремящиеся к подобию Творцу делятся на:

• внутреннюю часть – благожелательных, гуманистов;

• внешнюю часть – приносящих вред.

67. Если человек возвышает свою внутреннюю часть над наружной, отдавая все усилия для исправления души и только необходимое – для существования тела, то благодаря его действиям внутренняя часть мира возвышается над внешней. И весь мир все больше осознает величие сближения с Творцом.

Если же человек возвышает свою внешнюю часть над внутренней, его действиями наружная часть мира возвышается над внутренней. И вредители возвышаются в мире над теми, кто устремлен к Творцу.

68. И не удивляйся, что один человек может вызвать возвышение или падение всего мира. Ведь незыблем закон: «Часть и целое равны». Все, совершающееся в целом, совершается также и в его части, а совершаемое частями, осуществляется в целом. И не проявится целое, пока не проявятся его части, соответственно своему количеству и качеству. Действие части, несомненно, опускает или возвышает все целое. Таким образом, посредством изучения науки каббала все человечество избавляется от эгоизма – причины всего зла в мире.

69. Если человек увеличивает усилия в изучении каббалы, говорящей о внутренней части мироздания, он, соответственно, возвышает внутреннюю часть мира, и все устремляются к Творцу. И наоборот.

70. Увеличение количества занимающихся каббалой, усилит воздействие Высшего света на наш мир, вплоть до состояния, предсказанного пророками: «И наполнится земля знанием Творца». А неприятие науки каббала отдаляет Высший свет от нашего мира и вызывает в нем голод, бедность, жестокость, унижение, убийства и грабеж.

71. Из вышесказанного вытекает, что все состояние мира зависит от меры изучения каббалы – науки о Творце, и если мы преуспеем в этом, то привлечем больше Высшего света к нашему миру. Тогда, как предсказывает Книга Зоар, выйдем силой света из изгнания в этом низшем мире и возвысимся до уровня Творца.

ВСТУПЛЕНИЕ К КНИГЕ ЗОАР

Статья объясняет, каким образом мы воспринимаем мир. Подлинная реальность – это Высший свет, однако наши эгоистические желания создают иллюзию – материальный мир, природа которого подразделяется на четыре уровня: неживой, растительный, животный и человеческий. Эта картина базируется на свойствах эгоизма, постоянно развивающегося и сменяющего различные градации в нескончаемой погоне за наслаждениями. Наше сознание само адаптируется к ощущениям, которые сопровождают этот процесс.

Так называемый «внешний» мир субъективно существует внутри человека. Его рисуют нам пять органов чувств, которые противоположны Высшему свету.

Когда мы начнем понимать, что исправлять нужно самих себя, свои ощущения, свое восприятие, свою природу, тогда действительность предстанет перед нами в правильном свете, в духовном проявлении. Мы увидим истинную картину: мир находится внутри нас и зависит от наших свойств. Исправляя себя, мы меняем его, пока разрозненные фрагменты не сольются в единую реальность высшего света.

От редакции

Все, о чем говорится в науке каббала – это понятия о десяти сфирот, называемых КАХАБ, ХАГАТ, НЕХИМ и их различных сочетаний. Этих понятий вполне достаточно, чтобы раскрыть нам суть любого высшего знания. Для начала необходимо уяснить для себя несколько принципов, дающих правильный подход к изучению науки каббала.

1. Существуют три ограничения, которые изучающий науку каббала не должен нарушать:

Существуют четыре категории познания:

• материя;

• форма материи;

• абстрактная форма;

•суть.

Эти четыре категории познания существуют также и в десяти сфирот.

Ограничение 1: Наука каббала совершенно не затрагивает такие понятия, как суть и абстрактная форма десяти сфирот, а исследует только их материю и ее форму, облаченную в материю.

Ограничение 2: Во всем, что существует в Высшем мире в связи с сотворением душ и формами их существования, мы различаем три категории:

• мир Бесконечности;

• мир Ацилут;

• три мира БЕА – Брия, Ецира, Асия.

Наука каббала изучает только миры БЕА, а мир Бесконечности и мир Ацилут изучает только в той мере, в которой БЕА получают от них. Каббала не исследует мир Бесконечности и мир Ацилут отдельно от миров БЕА.

Ограничение 3: В каждом из миров БЕА существуют три аспекта:

• десять сфирот, свет которых светит в каждом из миров;

• души людей;

• остальная действительность, существующая ниже душ людей.

В любом случае следует знать, что, несмотря на то, что в науке каббала подробно объясняются все мельчайшие детали каждого из миров, основное внимание и исследование сконцентрировано всегда на душах людей, находящихся в соответствующем мире. То, что говорится и разъясняется в отношении других аспектов, изучается лишь для того, чтобы узнать, что души получают от них. То, что не имеет отношения к получению душами, не излагается и не изучается.

Три вышеуказанных аспекта являются основополагающими. Поэтому, если изучающий не будет помнить о них и выйдет за их рамки при изучении науки каббала, то он запутается и не сможет правильно представить себе картину мироздания.

2. Десять сфирот называются Кетэр, Хохма, Бина, Хэсэд, Гвура, Тифэрэт, Нецах, Ход, Йесод, Малхут. Часто шесть сфирот: Хэсэд, Гвура, Тифэрэт, Нецах, Ход, Йесод – объединяют в одну сфиру, которую также называют Тифэрэт. В таком случае перечисляют десять сфирот как Кетэр, Хохма, Бина, Тифэрэт, Малхут или сокращенно КАХАБ-ТУМ.

Эти 10 сфирот составляют все мироздание, они включают в себя все миры:
• сфира Кетэр – мир Адам Кадмон;
• сфира Хохма – мир Ацилут;
• сфира Бина – мир Брия;
• сфира Тифэрэт – мир Ецира;
• сфира Малхут – мир Асия.

Все мироздание состоит из десяти сфирот КАХАБ-ТУМ. Так же и каждый из миров состоит из десяти сфирот КАХАБ-ТУМ, и любая мельчайшая деталь любого мира также содержит десять сфирот КАХАБ-ТУМ.

3. Книга Зоар уподобляет десять сфирот КАХАБ-ТУМ четырем цветам:
• белый, соответствующий сфире Хохма;
• красный, соответствующий сфире Бина;
• зеленый, соответствующий сфире Тифэрэт;

• черный, соответствующий сфире Малхут.

Возьмем, к примеру, оптический прибор, в котором есть четыре стекла, цвета которых соответствуют приведенным выше. Несмотря на то что свет един, все же, проходя сквозь стекло, он приобретает окраску, и на выходе проявляются четыре света: белый, красный, зеленый и черный.

Свет, находящий в каждой из сфирот, – это Высший, простой и единый свет от начала мира Ацилут и до конца мира Асия. Его разделение на десять светов происходит в сфирот КАХАБ-ТУМ, где каждая сфира подобна фильтру, сквозь который Высший простой свет проходит к получающим душам. Таким образом, каждая сфира придает свету другой цвет:

• мир Ацилут проводит белый свет, то есть свет, не имеющий цвета. Высший свет не претерпевает никакого изменения, проходя сквозь него. Это означает, что находящиеся в мире Ацилут находятся в полном подобии Высшей силе.

Свет, проходящий через миры Брия, Ецира и Асия к получающим душам, изменяется и темнеет, он становится:

• в мире Брия (сфира Бина) – свет красный;

• в мире Ецира (сфира Тифэрэт) – свет зеленый;

• в мире Асия (сфира Малхут) – свет черный.

В рассказе о четырех цветах содержится важный намек: мудрость (хохма), заключенная в каждой книге, раскрывается изучающему не в белом цвете сфиры Хохма, а только в трех цветах, то есть в красках, которыми написаны буквы книги, в соединении со светом хохма:

• красная;

• зеленая;

• черная.

Миру Ацилут, суть которого – хохма, соответствует белый цвет в книге. То есть мы не постигаем его, а все возможное раскрытие его в мироздании происходит в «книге небес» – в сфирот Бина, Тифэрэт и Малхут, являющихся тремя мирами БЕА. Буквы и их сочетания раскрываются в трех упомянутых цветах, которыми написана книга небес, и только посредством их душам раскрывается Высший свет.

Вместе с тем следует различать, что белый цвет является основой книги, и все буквы сочетаются с ним. Так что без белого цвета совершенно невозможно было бы существование букв и раскрытие содержащейся в них информации. Так и мир Ацилут, который является сфирой Хохма, является основой раскрытия света хохма, проявляющегося через миры БЕА.

Как следует из второго ограничения, в науке каббала речь не идет о мире Ацилут как таковом, потому, что он является белым в книге, а говорится о его свечении в трех мирах БЕА, которые являются цветами и буквами и их сочетаниями в книге. И проявляется это двумя способами:

• или три мира БЕА получают подсветку мира Ацилут на своем месте – в таком случае Высший свет многократно уменьшается, так, что становится лишь слабым свечением в мирах БЕА;

• или же миры БЕА поднимаются соответственно на места сфирот Бина, Тифэрэт и Малхут мира Ацилут и получают свет в месте его свечения.

Однако рассказ о цветах не отражает сути полностью, поскольку в буквах на белом фоне книги мудрости этого мира, нет духа жизни. Раскрытие мудрости происходит не в их сути, а за их пределами – в разуме изучающего человека.

Тогда как в отношении четырех миров АБЕА, представляющих собой «книгу небес», вся мудрость, которая только существует в действительности, как духовной, так и материальной, находится в них и проистекает из них. В соответствии с этим, знай, что белый цвет книги является сам по себе предметом изучения, и три цвета призваны прояснить его.

4. Выше, когда говорилось о первом ограничении при изучении науки каббала (п. 1), был приведен перечень четырех категорий познания:

- материя;
- форма материи;
- абстрактная форма; •суть.

Поясним это на наглядном примере нашего мира. Когда мы говорим «лжец», то различаем:

- его материю, то есть тело;
- форму, облаченную в материал, то есть, лживый;
- абстрактную форму. То есть можно абстрагировать форму лжеца от материала человека, и изучать ее саму по себе, не воспроизведенную ни в какой материи или теле, то есть, изучать свойство лжи, ее достоинства или низость, абстрагировано от любой материи;
- суть человека.

Четвертая категория, то есть, суть человека как таковая, без материального воплощения, совершенно недоступна восприятию, поскольку пять наших органов чувств и наше воображение не предлагают нам ничего другого, кроме раскрытия действий сути, но не ее самой. Например:

Зрение воспринимает только волны от сути видимого, соответственно отражаемому им свету.

Слух – всего лишь сила воздействия звуковых волн какой-то сути, передаваемых по воздуху. Воздух под воздействием силы звуковой волны давит на барабанную перепонку в ушах. Так мы слышим, что поблизости от нас что-то происходит.

Обоняние воспринимает запах, исходящий от сути и раздражающий наши нервные окончания, реагирующие на запахи.

Вкус – это лишь производное от контакта какой-то сущности с нашими вкусовыми рецепторами.

Отметим, что все эти четыре органа чувств реагируют лишь на внешние действия, исходящие от некоей сути, но никак не на нее саму.

Осязание – самое сильное чувство. Оно способно различать холодное и горячее, твердое и мягкое, но и оно представляет собой не что иное, как раскрытие действий внутри сущности. Эти действия – только проявления сущности. Можно остудить горячее, и подогреть холодное, твердое можно расплавить до жидкого состояния, и испарить жидкость, доведя ее до газообразного состояния так, что уже невозможно будет обнаружить ее при помощи наших пяти чувств. Но вместе с тем, суть сохраняется, и мы можем заново превратить газ в жидкость, а жидкость довести до твердого состояния.

Ясно, что пять наших органов чувств раскрывают нам не суть, а только ее проявления и воздействия. И нам следует знать, что все, что не дано нам воспринять в ощущениях, не может появиться и в нашем воображении. А то, чего нет в воображении, никогда не будет присутствовать в мыслях. И нет у нас никакой возможности познать суть явления.

Суть явления невозможно постигнуть мыслью. Более того, даже собственную суть не дано нам постичь. Я чувствую и знаю, что занимаю какой-то объем в мире, что я твердый, горячий, что я думаю. Я знаю это вследствие проявления воздействий моей сути. Но если спросят меня: «Из какой сути исходят все эти проявления?», – я не буду знать, что ответить. Высшее управление не допускает постижение сути, и мы постигаем только проявления и образ действий, исходящие из нее.

Материю, о которой говорится в первом ограничении, то есть проявления действий любой сути, раскрывающиеся нам, мы способны воспринять полностью, так как они объясняют, удовлетворяя нас полностью, суть, находящуюся в материи. Так что, мы совершенно не страдаем от отсутствия возможности постижения самой сути и не нуждаемся в ней, так же как и не испытываем потребности в шестом пальце на руке. Другими словами, постижение материи, то есть проявление действий сути совершенно достаточно нам для всех наших потребностей и познаний как в постижении собственной сути, так и в постижении любой сути вне нас.

Форма, облаченная в материю, о которой идет речь во втором ограничении, также постигаема нами абсолютно ясным и достаточным образом, так как мы познаем ее на опыте конкретных действий, извлекаемом нами из поведения материи. Так мы приобретаем все наше высшее знание, на которое действительно можно положиться.

Абстрактная форма, о которой идет речь в третьем ограничении. После того как форма, воспроизведенная в материи, проявилась по отношению к нам, сила нашего воображения позволяет совершенно отделить ее от материи и изучать абстрактно, отдельно от любой материи. Например, мы можем анализировать достоинства и положительные качества, о которых идет речь в книгах о морали. Когда мы говорим о свойствах правды и лжи, гнева и героизма и прочих, мы имеем в виду их абстрактную форму, свободную от любой материи. Мы наделяем эту абстрактную форму достоинствами и недостатками.

Отношение ученых к третьей категории весьма осторожное. Ведь невозможно полностью полагаться на нее, и легко ошибиться в том, что абстрагировано от материи. Например, идеалист, превозносящий абстрактную категорию правды, может решить, что даже для спасения людей от смерти не произнесут его уста ни слова лжи преднамеренно, пусть даже весь мир перестанет существовать.

А если бы мы занимались исследованием правды и лжи, когда они воплощены в материи, тогда эти понятия воспринимались бы с точки зрения их пользы или вреда для материи. И тогда, после многочисленных экспериментов, проведенных в мире, увидев множество жертв и потерь, которые причинили лжецы и их лживые речи, а также большую пользу приверженцев правды, мы пришли бы к выводу, что нет более важного достоинства, чем правда, и нет ничего, более низкого, чем ложь.

И если бы идеалист понимал это, то, конечно, принял бы мнение каббалы, о том, что ложь, если она спасает от смерти даже одну человеческую жизнь, неизмеримо важнее величия и ценности абстрактной правды. Ведь нет никакой очевидности в абстрактных понятиях третьей категории, и тем более нечего рассуждать об абстрактных формах, которые еще не воплощены в материи этого мира.

5. После того, как на наглядных примерах были четко разъяснены четыре понятия:
• материя;
• форма материи;
• абстрактная форма;
• суть.
Выяснилось, что:
• суть мы не можем постичь в принципе;
• изучение абстрактной формы может привести к заблуждению;
• достоверно только познание материи и формы, воплощенной в материю. Только с их помощью можно выявить правильное отношение к постижению миров АБЕА.

Ведь в мироздании нет ни малейшей детали, которая не включала бы в себя эти четыре категории. Например, если мы возьмем какую-то часть мира Брия, то обнаружим в ней келим красного цвета, через которые свет этого мира передается тем, кто его постигает.

Кли мира Брия красного цвета представляет собой форму, в которую облачена суть, относящаяся к первой категории. Цвет – это только частное проявление действия сути. В любом случае, мы постигаем не саму суть, а лишь ее действия. Проявление действия мы и называем «сущностью», или «материей», или «телом», или «кли». А свет Творца «одевающийся» в красный цвет и проходящий через него, представляет собой форму, «одевающуюся» на сущность, то есть, относится ко второй категории. И потому он видится красным светом, что указывает на его «одеяние» и на то, что он светит через сущность, представляющую собой тело и материю, то есть, красный цвет.

Но если все-таки возникнет желание отделить Высший свет от сущности, которой является красный цвет, и начать изучать его сам по себе, не облаченный в сущность, то это уже относится к третьей категории, то есть абстрактной форме, что приведет к ошибкам. Поэтому на такой вид изучения в каббале существует строжайший запрет.

И еще более строгий запрет наложен на изучение «сути» в любой частичке творения, так как нет у нас возможности постигнуть ее, ведь даже сути предметов материального мира мы не постигаем, не говоря уже о сущностях духовных.

Таким образом, имеются четыре аспекта:

• кли мира Брия представляет собой красный цвет и определяется как сущность или материал мира Брия;

• облачение Высшего света в кли мира Брия является формой материала;

• Высший свет, как таковой, отделенный от материала мира Брия;

• суть.

Таким образом, подробно разъяснено первое ограничение: каббала говорит исключительно о первой и второй категориях познания, а о третьем и четвертом видах познания в каббалистических книгах не говорится ни единого слова. Все разъясненное относительно мира Брия, справедливо и для четырех миров АБЕА в целом, где красный, зеленый и черный цвета в трех мирах БЕА представляют собой материал или сущность. А белый цвет мира Ацилут – форма, воплощенная в материю, то есть в три цвета, называемых БЕА. А мир Бесконечности является сутью.

В соответствии с первым ограничением нам не дано постичь суть, являющуюся четвертой категорией и скрытую в каждой сущности, в том числе, в сущностях нашего мира. А белый цвет сам по себе, не «одетый» в три цвета в мирах БЕА, то есть свет хохма, не «одетый» в Бину, Тифэрэт и Малхут, является абстрактной формой, которую мы не исследуем. И о нем в каббале ничего не говорится.

Речь идет только о первом виде, то есть о трех цветах БЕА, считающихся материалом, и представляющих собой три сфиры: Бина, Тифэрэт и Малхут, а также о втором виде, представляющем собой свечение мира Ацилут, «одетое» в три цвета БЕА, то есть свет хохма, «одетый» в Бину, Тифэрэт и Малхут, – форму, воплощенную в материю. В соответствии с этим, если изучающий не будет предельно внимателен в том, чтобы его мысли и понимание в изучении науки каббала всегда находились в пределах этих двух видов познания, он сразу же запутается во всех вопросах, так как упустит истинный смысл сказанного.

Как было разъяснено в отношении четырех миров АБЕА в целом, так это верно и по отношению к каждому миру в отдельности. Это верно даже по отношению к любой маленькой части каждого из миров, как в голове мира Ацилут, так и в конце мира Асия, так как есть в ней КАХАБ-ТУМ. Сфира Хохма является формой, а Бина, Тифэрэт и Малхут – материалом, в который воплощена форма.

Мы говорим пока о первой и второй категории, исследованием которых занимается наука каббала. Но если сфира Хохма не облачена в Бину, Тифэрэт и Малхут и является формой без материи, то наука каббала не занимается ее изучением, а тем более, изучением сути – мира Бесконечности в этой маленькой частичке. Мы занимаемся изучением Бины, Тифэрэт и Малхут в каждой части, даже в мире Ацилут, и не занимаемся исследованием абстрактной формы сфирот Кетэр и Хохма, самих по себе. Где бы они ни находились, включая Малхут мира Асия, мы изучаем их лишь в той мере, в которой они воплощены в Бине, Тифэрэт и Малхут.

Таким образом, четко разъяснены рамки первого и второго ограничения. Все изучающие науку каббала исследуют лишь материю или формы материи, что является первым ограничением, а также миры БЕА или свечение мира Ацилут в этих мирах, что является вторым ограничением.

6. А сейчас объясним третье ограничение. Несмотря на то что наука каббала занимается изучением каждого мира только в отношении сфирот, являющихся свечением Высшего света в этих мирах, а также каждой частички из уровней неживой, растительный, животный и говорящий – творениями соответствующих миров, – все же основным предметом изучения науки каббала является «говорящий» уровень в каждом мире.

Приведем примеры из нашего материального мира. Существуют четыре уровня творения:
- неживой;
- растительный;
- животный;
- говорящий.

В каждом из миров, и даже в нашем мире они являются четырьмя уровнями желания получать. В каждом из них также есть четыре уровня: неживой, растительный, животный и говорящий. Человек в этом мире должен питаться и за счет этого расти от всех четырех уровней – неживого, растительного, животного и уровня человека этого мира. Ведь даже в пище человека есть четыре составляющие от всех четырех уровней, которые проистекают из четырех уровней в теле человека (неживой, растительный, животный и говорящий), которыми являются:

- Желание получать в мере необходимости для существования.
- Желание получать сверх меры, необходимой для существования. Стремится к излишествам и способно обуздать только телесные желания.
- Стремление к общественным наслаждениям, таким как почести и власть.
- Стремление к наукам.

Они проистекают из четырех частей желания получать в человеке:

•Желание получать в мере необходимости соответствует неживому уровню.

•Желание получать телесные наслаждения соответствует растительному уровню. Эти наслаждения даются для того, чтобы увеличилось желание и получило наслаждение физиологическое тело.

•Желание общественных наслаждений – это животный уровень желания получать.

• Желание знаний соответствует уровню говорящий.

Находим, что, получая от первого уровня – меры необходимого для существования, и от второго – уровня телесных наслаждений, превышающих меру необходимого для существования, человек получает и питается от низших по отношению к нему уровней неживой, растительный, животный. Но на третьей стадии, представляющей собой наслаждения от общественного признания, такие как почести и власть, он получает и наполняется от равных себе.

А на четвертом уровне, соответствующим стремлению к наукам человек получает наслаждение и наполняет себя от высшего по отношению к нему, то есть от сути мудрости и разума, представляющих собой духовные понятия.

Все миры являются оттиском одного от другого по направлению сверху вниз, и все находящееся на уровнях неживой, растительный, животный и говорящий в мире Брия отпечатываются в мире Ецира. А с уровней неживой, растительный, животный и говорящий мира Ецира отпечатываются уровни неживой, растительный, животный и говорящий мира Асия. И неживой, растительный, животный и говорящий мира Асия отпечатываются как уровни неживой, растительный, животный и говорящий в этом мире.

В науке каббала:

• неживой уровень в духовных мирах называется «чертоги»;

• растительный уровень называется «одеяния»;

• животный – «ангелы»;

• уровень говорящий – это души людей, находящиеся в соответствующем мире;

Труды Бааль Сулама

• десять сфирот в каждом мире – это Высший свет.

Души людей являются центром каждого из миров. Они получают наполнение от всей духовной реальности соответствующего мира, так же как и человек в материальном мире получает наполнение от всей материальной действительности нашего мира.

Это происходит так:

В первой стадии, которая является желанием получать в мере необходимости для существования, он получает свечение от «чертогов» и «одеяний», находящихся там.

Во второй стадии, которая характеризуется стремлением к излишествам в животных желаниях, увеличивающих его тело (желание), человек получает от «ангелов», находящихся на этом уровне. То есть человек получает духовный свет, в большем количестве, чем необходимо для существования, для того чтобы увеличить сосуды, в которые «одета» его душа.

В первой и второй стадиях человек получает от низших по отношению к нему уровней, которыми являются «чертоги», «одеяния» и «ангелы». Их уровень ниже уровня душ людей.

На третьей стадии, представляющей собой человеческие желания, которые развивают дух человека, он получает от равных ему – от всех душ, находящихся в данном мире. С их помощью он увеличивает свет руах, наполняющий его душу.

На четвертой стадии желания, то есть в стремлении к наукам, он получает от сфирот соответствующего мира, от которых получает ХАБАД его души.

Ведь душа человека, находящаяся в каждом из миров, должна развиваться и совершенствоваться от всего, что находится в этом мире. И это третье ограничение, о котором необходимо знать. Когда в каббале говорится о какой бы то ни было частичке Высших миров – сфирот ли это, души, и ангелы, одеяния или чертоги – всегда нужно помнить, что о них говорится только по отношению к душе человека, получающей и питающейся от них. Все они направлены на

266

обеспечение потребностей души. Если в процессе изучения науки каббала изучающий будет следовать этой линии, то правильно поймет эту науку.

7. С помощью десяти сфирот в науке каббала описываются все материальные образы, такие как «выше» и «ниже», «подъем» и «падение», «уменьшение» и «распространение», «малое» и «большое» состояние, «разделение» и «соединение», числа и тому подобное. Так описывается все, что человек своими хорошими или плохими действиями, вызывает в десяти сфирот. На первый взгляд кажется странным: возможно ли, что в Высших мирах могут происходить изменения вследствие действий человека?

Даже если допустить, что это так, отметим, что изменения не происходят в самом Высшем свете, который облачается в десять сфирот и светит в них. Изменяются только сосуды сфирот, то есть, сотворенное. Сосуды созданы лишь с сотворением душ, для того, чтобы скрывать или раскрывать степени постижения в необходимой для душ мере, чтобы привести их к желаемому окончательному исправлению. Действие сфирот подобно работе оптического прибора, состоящего из четырех цветных стекол – белого, красного, зеленого и черного.

Также белый цвет книги, ее материал и буквы существуют в трех мирах БЕА, где находятся сосуды созданных сфирот, а не сам свет. Но совершенно неоправданно считать, что они существуют так же и в мире Ацилут, где сосуды десяти сфирот представляют собой полное подобие по своим свойствам Высшему свету.

В мире Ацилут сосуды едины с Высшим светом, наполняющим их по правилу полного наполнения: «Он, свет и действия Его едины».

• «Он» означает суть сфирот.
• «Свет» – это свет, заполняющий сфирот.
• «Действия Его» – означают сосуды сфирот.

И все это представляет собой абсолютное единство. Но если так, то как же можно понять изменения, вызываемые в них человеком? Но выше уже было сказано, что:

•сущность, обязывающая действительность к существованию, является сутью, которую не дано нам постичь ни в сущностях материального мира, ни в сущности нас самих, ни тем более в Обязывающем действительность к существованию;

• мир Ацилут – это форма;

• три мира БЕА – материя;

• свечение Ацилут в БЕА – форма, «одетая» на материю.

Здесь нужно понять, что название «мир Бесконечности» совершенно не является названием сущности, обязывающей действительность к существованию, ведь «как можно дать название тому, что не постигнуто?»

Поскольку воображение и пять органов чувств не в состоянии воспроизвести нам ничего из относящегося к сути, даже в материальном мире, то как же возможны мысль или слово о сути Высшей силы? А понимать название «мир Бесконечности» следует так, как это определено нам в третьем ограничении, где говорится, наука каббала говорит только о душах.

Поэтому название «мир Бесконечности» не выражает суть Высшей силы, а указывает на то, что все миры и все души включены в нее в замысле творения. Об этом сказано: «завершение действия – в первоначальном замысле», что является связью с нею всего творения, вплоть до окончательного исправления. Это и называется «миром Бесконечности».

И это состояние мы называем в каббале «первым состоянием душ», когда все души существуют в Высшей силе, наполненные всеми наслаждениями, полный объем которых будет ими получен в состоянии Конечного исправления.

Приведем пример из нашего мира. Скажем, человек хочет построить дом. В первой же мысли он рисует себе дом, со всеми его комнатами и деталями, каким они будут по завершении строительства. После этого он составляет план работ во всех деталях, чтобы объяснить их рабочим. И только после этого он строит его вплоть до завершения, как было у него запланировано в первой же мысли.

И знай, что в мире Бесконечности, представляющем собой тайну первичного замысла, все творение уже создано в своем окончательном совершенстве. Однако это описание не отражает сути полностью, так как в Высшей силе будущее и настоящее едины, замысел завершается в ней, а для действия не требуется никаких инструментов. И потому в ней – настоящая реальность. И мир Ацилут подобен мысленному, детальному плану, который осуществится впоследствии, когда на практике начнут строительство дома. И знай, что ни в первоначальном замысле, чем является мир Бесконечности, ни в мысленном, детальном плане, который в свое время осуществится на практике, совершенно ничего нет от творений, так как все еще в замысле и ничего еще не воплощено на практике.

Так же и у человека: несмотря на то, что продумал все детали (кирпичи, металлические конструкции, доски), которые будут ему необходимы во время строительства, нет е него еще ничего кроме собственно мысленного материала. Нет ни настоящих досок, ни кирпичей, вообще ничего. А вся разница в том, что мысленный план человека не является настоящей реальностью, в то время как замысел Высшей силы – это реальность настоящая, несравнимо большая, чем действительность самих творений.

Итак, мы выяснили, что о мире Бесконечности и о мире Ацилут в каббале говорится только в связи с созданием творений, и лишь тогда, когда они находятся в замысле, и ни в чем еще не проявилась их сущность. Это подобно тому, как в плане строительства, разрабатываемом человеком, нет ни досок, ни кирпичей, ни металлоконструкций и вообще ничего.

Миры БЕА и этот мир представляют собой воплощение запланированного в действии, подобно тому, как человек, который на практике строит дом, привозит доски, кирпичи и рабочих для завершения строительства. В соответствии с этим Высший свет светит в мирах БЕА. И в той степени, в которой души должны получать, чтобы достичь совершенного состояния, он одевается в десять сосудов КАХАБ, ХАГАТ и НЕХИМ. Эти сосуды являются реальными. Они не относятся к Высшей силе, а созданы ею для потребностей душ.

Из приведенного примера с человеком, задумавшим строительство дома, надо понять, как три составляющих связаны друг с другом с точки зрения причины и следствия, где корень всего — первоначальный замысел. Ведь не появится в задуманном им плане ни одна деталь иначе, чем для завершения действия в соответствии с задуманным в первоначальном замысле. И во время строительства все работы будут вестись согласно деталям этого плана.

Из этого понятно, что любое изменение в мирах проистекает из мира Бесконечности, из первого состояния душ, находящихся там в своем совершенстве Окончательного исправления, в соответствии со сказанным: «завершение действия в первоначальном замысле».

И в мире Бесконечности находится все, что раскроется в дальнейшем, вплоть до Окончательного исправления, и изначально исходит в мир Ацилут, как мысленный план в приведенном примере рождается из первоначального замысла. А из мира Ацилут каждая деталь нисходит в миры БЕА, как из мысленного плана в примере исходят все детали, которые реализуются при строительстве дома на практике.

Ведь нет ни малейшей частички, созданной в этом мире, которая не исходила бы из мира Бесконечности, где души находятся в первом состоянии. Из мира Бесконечности все нисходит в мир Ацилут, а из мира Ацилут это новое нисходит в три мира БЕА, вплоть до находящегося в этом мире, где реально раскрывается в действии и проявляется как отношение

Высшей силы к творению. И нет ничего нового, существующего в мире, что не исходило бы из общего корня в мире Бесконечности, своего корня в мире Ацилут, и не прошло бы затем через миры БЕА.

8. Вместе с тем следует понимать, что все изменения в мире Ацилут, не касаются самой Высшей силы. Речь идет только о душах, в той мере, в которой они получают от мира Ацилут через три мира БЕА. И этот мир соотносится с миром Бесконечности так же, как соотносится мысленный план с первоначальным замыслом. Но в обоих этих мирах, и в мире Бесконечности, и в мире Ацилут, еще совершенно нет никаких душ. Так же как в разуме, обдумывающем план строительства, нет ни настоящих досок, ни железа, ни кирпичей.

Души начинают раскрываться в мире Брия. Поэтому сосуды десяти сфирот, которые действительно определяют величину душ и их свойства, безусловно, являются не Высшей силой, а лишь вновь созданными творениями. Ведь в Высшем свете не может быть никаких изменений и никакого количества. Поэтому мы соотносим сосуды десяти сфирот трех миров БЕА, с цветами: красным, зеленым, черным.

Но свет, одетый в десять сосудов миров БЕА, является Высшим и простым единством, без малейшего изменения. И даже свет, заполняющий низший сосуд в мире Асия, – простой, без малейшего изменения, так как сам по себе свет един. А любое изменение, которое происходит в его свечении, производится сосудами сфирот. И в каждой детали с помощью трех цветов, соответствующих сосудам БЕА, создается бесчисленное множество изменений. Но сосуды десяти сфирот миров БЕА получают от мира Ацилут все мельчайшие детали и любые их изменения как часть общего плана. Эти детали в соответствующем порядке будут реализованы при построении миров БЕА.

Сосуды десяти сфирот КАХАБ-ТУМ миров БЕА получают от соответствующих им сосудов КАХАБ-ТУМ в мире Ацилут, то есть из мысленного плана, находящегося там. Так что, любая деталь, воплощаемая на практике, является следствием соответствующей детали мысленного плана. Потому мы называем сосуды мира Ацилут белыми, то есть бесцветными.

Белый цвет – источник всех цветов. Подобно белому фону в книге (несмотря на то что невозможно ничего постичь в нем, ведь белый цвет в книге ничего нам не говорит), он – носитель всего, что есть в каббалистической книге, потому что светит вокруг каждой буквы и внутри каждой из букв, придавая каждой букве ее особую форму, и определяя особое место каждому сочетанию.

Но можно сказать и наоборот: в материале букв (красных, зеленых или черных) нам не дано постичь ничего. А все постижение и знание, которые мы получаем через материал букв книги, происходит только с помощью белого цвета в ней. Ведь свечение вокруг букв и внутри каждой буквы придает им форму, и эта форма раскрывает нам всю информацию, содержащуюся в науке каббала.

В этом смысл десяти сфирот мира Ацилут. Они уподоблены белому цвету, и в них невозможно распознать ни количество, ни какие-либо изменения. Все изменения в мирах БЕА, которые являются тремя цветами материала букв, обязательно происходят из десяти сосудов сфирот мира Ацилут. И несмотря на то, что нет в самом мире Ацилут никаких сосудов, так как весь он – белый цвет (как в примере с белым фоном книги по отношению к буквам и их сочетаниям), но свечение его в мирах БЕА создает в них келим.

Из сказанного выясняется разделение мира Ацилут на три составляющие: «Высшую силу, ее свет и ее действия», несмотря на то что там простое единство и нет ничего от творений. Саму Высшую силу мы не постигаем, ведь не дано нам постичь никакую суть, даже материальную. А ее действия – это десять сосудов КАХАБ-ТУМ, находящиеся в ней, которые мы уподобили белому цвету в каббалистической книге.

То множество изменений, имеющееся в мирах БЕА, являющихся материей букв, мы находим сначала в келим КАХАБ-ТУМ в самом мире Ацилут. Все эти изменения проявляются через белый цвет, хотя в нем самом нет никакой формы. Таким образом, белый цвет имеет множество форм, несмотря на то что у него самого нет никакой формы.

Десять сфирот мира Ацилут проявляются в многочисленных изменениях в соответствии с их свечением в мирах БЕА, так же, как мысленный план воплощается в реальность при строительстве дома. Все изменения, реально происходящие в мирах БЕА, происходят лишь под воздействием свечения десяти сфирот КАХАБ-ТУМ мира Ацилут. А сам белый цвет мира Ацилут не одевается в цвета букв. Нет в нем ни количества, ни, вообще, чего бы то ни было.

9. Свет Высшей силы – это свет внутри белого цвета, представляющего собой сосуды. И свет этот проявляется также только по отношению к душам, получающим от мира Ацилут, но не по отношению к сути Высшей силы самой по себе. То есть, когда три мира БЕА поднимаются в Ацилут с душами людей, свет, который получают там, определяется как свет душ.

Обо всех этих трех составляющих говорится лишь в отношении получающих. «Действия» означают подсветку (уменьшенный свет) сосудов на месте миров БЕА, под парсой мира Ацилут, потому что свет мира Ацилут никогда не спустится ниже парсы мира Ацилут. Туда проникает лишь подсветка сосудов.

Свет Высшей силы – это свечение света мира Ацилут при подъеме миров БЕА в Ацилут. Высшая сила как таковая является сутью, совершенно непостижимой. А все различия трех составляющих в мире Ацилут в любом случае – только в отношении получающих. И потому совершенно невозможно постичь мир Ацилут как таковой. В этом и заключается смысл понятия «белый цвет». Это – свет, который невозможно постичь сам по себе, ведь все в нем – абсолютно простое единство.

Увеличение или уменьшение сосудов КАХАБ-ТУМ в мире Ацилут в результате действий людей означает, что в самом Высшем свете нет ничего, кроме простоты его, поскольку невозможны в нем никакие изменения. Но так как замысел творения заключается в наслаждении созданий, отсюда мы постигаем, что у Высшей силы есть желание отдавать.

И как в нашем мире мы видим, что дающий растет, когда возрастает количество получающих от него, и желает увеличения количества получающих, так и свет в мире Ацилут возрастает, когда души получают его свет, тем самым питая его. И наоборот, когда низшие не получают свет, в той же степени уменьшается раскрытие Высшей силы, ведь нет никого, кто получал бы от нее. Это подобно свече, для которой нет никакой разницы, зажжешь ты от нее десятки тысяч свечей или не зажжешь ни одной. В самой свече вследствие этого ты не найдешь никакого изменения. Так и в самом мире Ацилут нет никаких изменений, независимо от того, получают ли от него души свет или не получают совсем. А все упомянутое увеличение света относится только к душам.

10. Но зачем же тогда нужно описывать изменения, будто бы происходящие в самом мире Ацилут? Не лучше ли было бы разъяснить их в отношении получающих в мирах БЕА, а не нагромождать столько понятий в мире Ацилут, чему придется искать какие-то отговорки?

Но в таком описании есть своя высокая цель: все эти образы, создающие впечатление только в душах получающих, покажут душам, как сама Высшая сила участвует в этом с ними, чтобы максимально увеличить постижение душ. Так отец скрывает от сына горе или радость, притом, что нет в нем ничего ни того, ни другого. Он делает это только для того, чтобы побудить своего любимого сына расширить свое понимание, чтобы позабавиться с ним. И только после того как сын подрастет и поумнеет, узнает, что во всем, что сделал для него отец, не было ничего более того, что необходимо для забавы с ним.

Так же и по отношению к нам, несмотря на то что все образы и изменения исходят от впечатления душ, и в них же заканчиваются, все же проявление Высшей силы создает воображаемую картину, будто все возникающие картины находятся в самой Высшей силе. И делается это Высшей силой для того, чтобы максимально расширить и увеличить постижения душ, в соответствии с законом замысла творения: «чтобы доставить наслаждение своим созданиям».

Такой же подход заложен в законах управления Высшей силы в нашем материальном мире. Возьмем для примера наше зрение. Когда мы видим перед собой огромный мир и все его великолепное наполнение, то видим все это не в действительности, а только внутри самих себя.

В нашем мозгу природой создано подобие линзы, переворачивающей все воспринимаемое им, чтобы мы смогли увидеть это как будто снаружи, вне нашего мозга – как находящееся перед нами. И хотя то, что мы видим вне нас, не является реальностью, в любом случае мы должны быть благодарны Высшему управлению за то, что создана в нас такая линза, позволяющая видеть и постигать все как будто вне себя. Так как тем самым дается нам возможность изучить каждое явление и каждый объект, получив знание и полную ясность, измерить каждый объект изнутри и снаружи. И если бы не это, мы не смогли бы ничего постичь и развить наши науки.

Так и в отношении знаний Высшего мира: несмотря на то что все изменения происходят внутри получающих душ, они относят свои ощущения к самой дающей Высшей силе, так как только таким путем они получают все знание и все наслаждения замысла творения. Кроме того, судя по приведенному примеру, несмотря на то что практически мы воспринимаем все, что видим, как находящееся перед нами, в любом случае, каждый здравомыслящий человек точно знает, что все видимое нами находится лишь внутри нашего мозга. Так и души: несмотря на то, что все образы они относят к Высшей силе, все же, нет у них никакого сомнения в том, что все изменения происходят только внутри них, а совсем не в Высшем источнике.

ПРЕДИСЛОВИЕ К КНИГЕ «ДРЕВО ЖИЗНИ»

1. В подчас видимой глазам простоте каббалистических текстов человек не находит никакого смысла, а внутреннее скрыто и непонятно никому, кроме тех, кто постигает истинную мудрость, потому что она постигается ступенчато:

• простой смысл;

• толкование;

• намек;

• тайна.

Однако можно также сказать, что постижение начинается не с простого смысла, а с тайны, когда все, о чем говорит каббала, кажется еще непонятным и поэтому тайным. А после того как постиг человек тайную часть каббалы, можно постичь толкование, и затем – намек. А после того как удостоился человек раскрытия всех трех частей каббалы, в завершение удостаивается постижения простого смысла, получая при этом полное знание.

2. Однако, независимо от подхода к постижению каббалистических знаний, остается открытым вопрос: «Почему эти знания так тщательно скрывались от масс одиночками-каббалистами? Как можно препятствовать распространению знаний, которые могут кардинально изменить жизнь?

Мы находим ограничения на распространения знаний не только у каббалистов, но и у других ученых прошлых поколений. И в этом одна из причин столь медленного развития наук в прошлых веках. Например, Платон предостерегал своих учеников: «Не передавайте науку тому, кто не знает ее величия». К этому же призывал и Аристотель: «Не передавайте науку тому, кто недостоин ее, чтобы не извратили, потому что, если ученый обучает знанию того, кто не достоин его, он грабит науку и разрушает ее».

Но не так поступают ученые нашего времени. Они, наоборот, стараются расширить врата науки для всех желающих, без всяких ограничений и условий. И на первый взгляд у нас могут возникнуть большие претензии к ученым древности, которые открыли двери науки только для небольшой, избранной группы учеников, которых сочли готовыми к ней, а большинство народа оставили неучами.

3. Причина ограничения доступа к науке основывается на том, что все человечество делится на четыре группы:

• массы народа;
• властители;
• богачи;
• мудрецы.

Они соответствуют четырем уровням, на которые делится все мироздание, и которые называются:

• неживой;
• растительный;
• животный;
• говорящий.

Мы различаем три степени полезной или вредящей силы:

• **Растительная** – наименьшая сила. Хотя она и притягивает полезное, отталкивая вредное, подобно человеческому и животному видам, однако нет у нее самостоятельного ощущения. Сила эта является лишь общей для всех видов растительного в мире, воздействующей на них на этом уровне.

• **Животная сила.** В дополнение к растительной силе, на животном уровне в каждом творении как таковом есть свое собственное ощущение, способствующее тому, чтобы приближаться к полезному и избегать вредного. Любое отдельно взятое животное по своему значению равно всем видам растительного мира. Если в растительном мире сила, сопоставляющая полезное и вредное, действует на общем уровне, то в животном мире она проявляется как индивидуальная самостоятельная по отношению к каждому творению. Эта ощущаемая сила, действующая на животном уровне, очень ограничена местом и временем. Она жестко связана с телом и его текущими ощущениями. Иными словами, она не соотносится ни с будущим, ни с прошлым и учитывает только конкретный момент соприкосновения с телом.

• **Говорящая сила.** В дополнение к предыдущим, говорящий уровень состоит из силы ощущения и силы разума одновременно, и поэтому его сила не ограничена пространством и временем для приближения полезного и отдаления от вредного, как на животном уровне. Это обусловлено знаниями, которые относятся к духовной категории, не ограниченной пространством и временем. На говорящем уровне человек может получать знания всех других творений, существующих в реальности, а также судить о прошлом и будущем каждого поколения.

Таким образом, значение каждой личности, находящейся на говорящем уровне, приравнивается по значению к совокупности сил растительного и животного уровней, существующих во всей действительности, как в настоящее время, так и в предыдущих поколениях. Каждая отдельная личность охватывает их и включает в себя все их силы вместе.

Этот закон применим также к четырем группам говорящего уровня, которыми являются:
• массы народа;
• богачи;
• властители;
• мудрецы.

Очевидно, что все они происходят из народной массы, являющейся первой ступенью, однако все значение и право на существование народной массы определено тремя уровнями: растительный, животный, говорящий. Вместе они включаются в говорящий уровень.

Для развития массы к уровням растительный – животный – говорящий в них заложены три склонности:
- вожделение;
- честолюбие;
- зависть.

С их помощью массы развиваются ступень за ступенью, чтобы сформировать из себя законченный говорящий уровень:

• **Вожделение** формирует из народа богачей, которые преуспевают в достижении богатства, благодаря сильному желанию и страсти. Богачи представляют собой первую ступень в развитии масс. Вожделение базируется на уровне, более высоком, чем растительный, когда посторонняя управляющая сила заставляет действовать человека в соответствии с его естественными свойствами. Сила вожделения на говорящем уровне заимствуется у животного уровня.

• **Честолюбие** формирует из масс известных властителей, которые имеют власть в городе, в стране или в мире. Люди, обладающие сильным желанием и склонностью к почестям, преуспевают в достижении власти.

Властители представляют собой вторую ступень развития масс, которая базируется на силе животного уровня во всей действительности. Желание почета являющееся сутью этой категории людей, их предрасположенность к достижению почета выделяет их в самостоятельный вид людей говорящего уровня, жаждущих власти.

• **Зависть** порождает из масс мудрецов, как сказано: «Зависть увеличивает мудрость». Люди, обладающие сильным желанием и склонностью к зависти, преуспевают в достижении знаний. Мудрецы представляют собой говорящий уровень всей существующей действительности. Сила зависти, действующая в них, не ограничена временем и пространством, и является общей и охватывающей все, существующее в мире, а также существовавшее во все времена. Если человек видит какую-либо вещь у друга, то по закону зависти, распространяющемуся на всю действительность, у него возникает желание к ней. Ощущение недостатка чего-то происходит не потому, что у него нет чего-то, а потому, что есть у другого. Таковы все люди во всех поколениях, и нет конца этой действующей силе, и именно благодаря свойству зависти человек становится пригодным для исполнения своего великого предназначения.

Люди, которые не выделяются чем-то особенным, поскольку не имеют сильного ярко выраженного желания, используют попеременно все три вышеуказанных наклонности: иногда вожделеют к чему-то, иногда завидуют, иногда стремятся к почестям. Желания их разбиваются на осколки, и они похожи на детей, которые хотят все, что видят, а потому не могут достичь ничего.

Возможности применения человеком полезной и вредящей силы возрастают в равной степени: насколько можно принести добро, настолько можно навредить. Поскольку сила каждого отдельного человека преобладает над силой всего животного мира всех поколений и времен, то, соответственно, и сила зла в нем, преобладает над всеми.

Поэтому до тех пор, пока человек не становится достойным возвыситься так, чтобы использовать свою силу только для добра, он нуждается в усиленной защите от преждевременного приобретения слишком больших знаний. Поэтому ученые прошлых поколений скрывали знания от масс из-за страха, что непорядочные ученики используют силу знания во зло и во вред и разрушат мир.

Но после того как измельчали поколения, и сами ученые захотели не только знаний, но и материального благополучия, знание приблизилось к массам и стало продаваться по дешевке в обмен на благополучие. И рухнула стена, которую возвели ученые древности, и недостойные люди овладели знаниями, и предали науку позору, используя ее во вред человеку.

4. Отсюда можно понять, почему ученые-каббалисты жестко ограничили доступ недостойным к своей науке. Ведь она говорит обо всей цели мироздания, и применять ее можно только для пользы человечества. И действительно, в течение всего времени существования этой науки с 18 века до н.э., она была скрыта от всех. И поэтому зародилось вокруг нее столько неверных теорий и домыслов.

Но в Книге Зоар сказано, что придет время, и наука каббала раскроется всем, и не будет нужды в проверке учеников, и откроются источники ее мудрости, чтобы напоить все народы. Каббала станет доступной, когда люди будут нацелены для ее применения по ее назначению.

Однако, как известно, на протяжении своего многотысячелетнего развития человечество становится все более эгоистичным настолько, что ко времени, когда в соответствии с Книгой Зоар наука каббала должна раскрыться людям, возобладает наглость, и никто не будет бояться греха. Как же соединить эти два противоречивых высказывания?

Дело в том, что замки на двери к науке каббала были необходимы только из страха перед теми, в ком к естественной для ученых страсти к знаниям добавляется стремление к наслаждениям и славе. Но в нашем поколении нет более страха перед непорядочными учениками, которые бросятся продавать науку на рыночной площади. На их товар не найдется покупателей, так как презираем он в их глазах, ведь ученики не смогут приобрести с ее помощью богатства и почести. Поэтому в науку каббала придут лишь те, кто стремится овладеть ее знаниями. Поэтому сняты все испытания и всем желающим открыт доступ к каббале. Изучение каббалы раскроет человечеству путь и истинный смысл своего существования.

5. Сказано в Книге Зоар и во многих других каббалистических источниках, что именно распространение науки каббала в массах выведет человечество на Высший уровень существования, потому что «в сердце каждого вольется му-

дрость». А потому, чтобы ускорить распространение этой науки о мироздании, необходимо открывать каббалистические школы и писать книги, чего невозможно было делать ранее из-за опасения привлечения недостойных учеников. Отсутствие каббалистических знаний является основной причиной болезненного развития человечества на протяжении всей своей истории до наших дней.

6. Наука каббала представляет собой методику достижения Высшего уровня существования каждому в отдельности и всем вместе, когда по возможностям и ощущениям человек становится равным наивысшему уровню – Творцу. Но возникает вопрос: почему мы созданы Высшей силой в таком несовершенном состоянии? Почему мы должны его улучшить, усовершенствовать, как бы исправляя действия Творца?

Древняя притча повествует нам о царе, у которого есть замок, полный всякого добра, но пуст он без гостей. Чтобы заполнить его гостями, нужно именно на нашем уровне творения создать состояние, включающее в себя высшие и низшие свойства вместе. Чтобы привести человека к нужному состоянию Высшего знания и наслаждения, созданы миры. А поскольку относительно Творца нет прошлого и будущего, то сразу же, как только Он задумал создать творения и дать им наслаждение, тут же это решение воплотилось в действие. Это совершенное состояние называется «мир Бесконечности».

В мире Бесконечности в потенциале заключены все произошедшие затем от него миры и все состояния человека, который должен пройти путь совершенствования от состояния, обратного Творцу, до состояния полного подобия Ему. Для исправления человека подготовлено сокращение и ограничение ступеней от мира Бесконечности до нашего мира, до реального облачения души в материальное тело. Находясь в нем, исправляя свое эгоистическое желание на альтруистическое, человек может постепенно подниматься по ступеням миров снизу вверх. Тем же путем снизошли сверху вниз свойства человека еще до его появления в этом мире. В итоге человек достигнет полного подобия Творцу, которое изначально уже существовало в мире Бесконечности в замысле Творца. Таким образом человек получает наполнение Творца, и становится равным Ему – вечным, бесконечным, совершенным.

7. Существуют два пути достижения вышеупомянутой цели:

• Самостоятельный путь возвращения собственными усилиями – краткий путь, по времени и по ощущениям в процессе исправления зависящий от человека.

• Путь страданий, посылаемых свыше и вынуждающих производить исправления, – путь долгий и неприятный.

8. В соответствии с изложенным можно понять, насколько мы должны быть благодарны нашим учителям-каббалистам. Они передают нам свои знания и опыт и таким образом сокращают наши страдания, спасая нас от жизни, которая хуже смерти, и помогая нам подняться на высоту совершенства и бессмертия.

Основоположником современной методики исправления является Ари, благодаря книгам которого мы можем быстро и безошибочно достичь цели нашего сотворения.

9. Многие каббалисты после Ари совершенствовали его методику, каждый – в виде, подходящем для душ своего поколения.

10. Как сказал великий каббалист Ибн-Эзра: «Все действия человека в этом мире должны быть призваны исправить сердце, ибо все сердца требует Творец». Цель исправлений – достичь полной любви и отдачи, то есть, отношения к Творцу, подобного Его отношению к человеку.

11. Каббалист Симон описывает соотношение сил, приводящих человека к совершенству, в виде притчи: «Когда Творец пожелал сотворить человека властвующим над

своими же природными свойствами, он спросил совета четырех категорий:

• милосердие и справедливость согласились с созданием человека;

• правда и мир – воспротивились.

Причины:

• Милосердие сказало: «Создавай, потому что в нем заложено сострадание»;

• Правда сказала: «Не создавай, потому что весь он – ложь».

• Справедливость сказала: «Создавай, потому что он вершит благодеяния».

• Мир сказал: «Не создавай, потому что он – сплошной раздор».

Услышав это, Творец отправил правду в землю, чтобы она затем произросла из земли».

Чтобы понять приведенную здесь притчу, необходимо уяснить два противоположные друг другу принципа управления нашим миром:

• Управление нашим миром предстает перед нами как удивительно надежное, несущее счастье, властвующее над каждым созданием, исходящее из любви и наслаждения. Высшее управление так же управляет всеми ощущениями. Оно возбуждает страсть и любовь в родителях, вследствие чего происходит зачатие. Для новой жизни Высшее управление заранее подготовило надежное место, защищенное от любого вреда в утробе матери так, что никто посторонний не может повредить ему, оно постоянно обеспечивает его всем необходимым, пока ребенок не обретет силы, чтобы появиться в нашем мире, полном трудностей.

Но и далее Высшее управление не оставляет его, и он оказывается среди близких, которые все делают ради него, пока он не станет готов к самостоятельной жизни. Не только человек, но и все виды животных и растений удостаиваются заботы Высшего управления.

• Управление существованием каждой особи в отдельности – противоположно управлению всей действительностью этого мира. Оно несет беспорядок, вызывает появление поверженных и больных. Вся их жизнь ведет к смерти, и нет у них права на существование, пока не пройдут через страдания и боль и станут способными к борьбе за выживание. И чем выше создание, тем сложнее его жизнь.

12. Все творение в целом и любая его часть состоит из 10 сфирот, в которых различаются две противоположности:

• девять первых сфирот наполнены светом и представляют собой свойство отдачи;

• Малхут лишена света и представляют собой свойство получения.

Также в творении различаются два вида света:

• внутренний свет – во внутренней его части;

• окружающий свет – во внешней его части.

Причина такого разделения в том, что противоположные свойства не могут присутствовать в одном носителе. Необходимы отдельные носители для внутреннего и окружающего светов. Но в духовном внутренняя и внешняя части творения не являются противоположными, поскольку Малхут находится в соединении с девятью первыми сфирот и также обретает свойство отдачи в виде отраженного света.

С другой стороны, еще неисправленные желания-свойства не связаны с девятью первыми сфирот и испытывают огромное стремление самонасладиться. Однако, вследствие сокращения света не входят в неисправленные альтруистическим намерением желания, оставляя их пустыми, и потому они противоположны тем частям творения, которые наполнены светом.

Цель сокращения – дать возможность исправить желание получать на свойство отдачи, привести его к подобию Творцу при отсутствии давления на него света-наслаждения.

Но разве может исправиться ненаполненное светом желание, если исправление эгоистических свойств на альтруистические происходит только под воздействием света? Именно поэтому для исправления эгоизма необходимо такое творение, как «человек в этом мире».

Развиваясь, человек получает свечение от неисправленных эгоистических желаний и живет за счет этого, приобретая таким образом все большие неисправленные желания. А затем он переходит к их исправлению Высшим светом, пытаясь использовать свое желание получать с намерением ради отдачи Творцу, вызывая тем самым ответное воздействие Высшего света. Тем самым человек достигает подобия Творцу.

Вследствие попеременного нахождения под властью двух противоположных сил – получения и отдачи, в нашем мире появляется ощущение времени. Когда человек исправит все желания, понятие «время» исчезнет. Можно сказать и наоборот: нам необходимо ощущение времени для того, чтобы эти две противоположности возникали в нас одна за другой, в состоянии развития, а затем в состоянии исправления.

13. Из этого можно понять необходимость разбиения сосудов и их свойств. Есть два вида света в десяти сфирот:

• прямой свет – свет мира Бесконечности, нисходящий сверху вниз;

• отраженный свет – свет, порождаемый Малхут, который отражается от нее снизу-вверх.

Оба этих света соединяются в один. Вследствие сокращения Высшего света и запрета на его распространение в неисправленные желания, прямой свет, исходящий от Творца сверху вниз, не входит в Малхут. Однако отраженный свет может наполнять Малхут, так как на него не было сокращения.

Сокращение обусловлено необходимостью существования системы эгоистических сил, неисправленных желаний. Таким образом в человеке взращивается огромное желание наслаждений, питающееся от системы эгоистических сил.

Ведь эта система нуждается в изобилии-свете, но его невозможно получить, если все ее строение представляет собой только последнюю сфиру – пустое пространство без света. Поэтому необходимо и заранее предусмотрено разбиение первых девяти сфирот, вследствие которого часть отраженного света опускается в пустое пространство сфиры Малхут.

Нисходящий в Малхут отраженный свет состоит из десяти сфирот, каждая из которых содержит 32 искры света – всего 320 искр. Эти 320 спустившиеся искры предназначены для обеспечения более низких желаний и поступают к ним через две параллельные системы: эгоистическую и альтруистическую. Причем, в каждый конкретный момент более низкие желания могут «питаться» только от одной из систем: когда используется (поднимается) одна система, не используется (падает) другая.

• Если все 320 искр будут получены через эгоистическую систему, то параллельная ей альтруистическая система питания этого мира полностью разрушится.

• Если все 320 искр поступят в наш мир через альтруистическую систему, то вся Малхут исправится, и система нечистых сил исчезнет.

• Если питание нашего мира осуществляется попеременно в сочетании обеих систем, в соответствии с деяниями человека, то обе они ведут человека к окончательному исправлению.

После разбиения десяти сфирот и падения 320 искр света в эгоистические желания, 288 из них (то есть, все те, что спустились от первых девяти сфирот) поднялись обратно и присоединились к системе альтруистических сил, а у эгоистической системы управления и питания этого мира остались только 32 искры (320 – 288=32). Они стали началом построения системы эгоистического управления в минимальном объеме. Но в таком виде система еще не пригодна для выполнения своей роли. Ее построение завершается позже, вследствие разбиения 10 сфирот Адама.

Итак, мы выяснили, что две противоположные системы управляют всей действительностью и обеспечивают ее существование. Количество света, необходимого для этого существования, – это 320 искр, которые были подготовлены и отмеряны разбиением 10 сфирот. Этого количества света достаточно для обеспечения существования всей действительности. Чтобы альтруистическая система была в состоянии обеспечить существование низших свойств, она обязана содержать в себе не менее 288 искр для заполнения своих первых девяти сфирот. Таким было ее функционирование до разбиения Адама.

14. Милосердие, справедливость, правда и мир – определяют четыре основные свойства души человека, ведущие его к полному исправлению до уровня подобия Творцу. Душа состоит из десяти сфирот внутреннего света и десяти сфирот окружающего света.

• Милосердие – внутренний свет девяти первых сфирот души.

• Справедливость – внутренний свет Малхут души.

• Правда – окружающий свет души.

Напомним, что внутренний и окружающий света противоположны друг другу:

• Внутренний свет – нисходит к творению в мере его альтруистического намерения и поэтому не входит в Малхут.

• Окружающий свет исходит из мира Бесконечности и охватывает все миры. А поскольку в мире Бесконечности все духовные объекты равны, то окружающий свет светит и дает наслаждение также и в сокращенной Малхут.

Поскольку эти света противоположны, то для них требуются две отдельные части творения:

• внутренний свет – заполняет девять первых сфирот (внутренняя часть);

• окружающий свет – светит в сократившихся желаниях (внешняя часть).

Поэтому окружающий свет, дающий наслаждение в сокращенной части Малхут, должен привести творение к отдаче и уподоблению Творцу по свойствам, – и это называется категорией правда.

Претензии правды при создании человека состоят в том, что по ее утверждению весь человек представляет собой ложь, поскольку изначально нет у него исправленной части кли, и все эгоистические желания находятся под сокращением. Поэтому категория правды не может помочь человеку в постижении окружающего света. А значит, все миры, которые созданы именно для того, чтобы творение смогло ощутить свет Творца, созданы зря. Ведь человек, исключительно ради которого они существуют, еще не готов к выполнению своего предназначения.

Однако категории милосердия и справедливости, относящиеся к внутреннему свету души, для которого нет в ней исправленного пространства, наоборот, могли бы в избытке обеспечить душу всеми светами и дать ей совершенство. А потому эти категории согласны с созданием человека (они представляют собой НЕХИ, участвующие в ударном взаимодействии света и кли, а потому наполовину относятся к окружающему свету со стороны находящегося в нем отраженного света).

Категория мира утверждала, что человек – это сплошные раздоры. Его душа не в состоянии получить в себя окружающий свет, который войдет в конфликт с внутренним светом. Ведь противоположные друг другу окружающий и внутренний света не могут находиться вместе.

Отсюда видно, что Адаму недоставало только внешней части кли, принадлежащей категории правда, но было у него внешнее кли, принадлежащее категории мир. И потому, в целом, категории согласились с созданием человека, хотя и утверждали, что природа человека противоречива и конфликтна, поскольку окружающий свет не может войти во внутреннюю часть творения в силу противоположности свойств света и кли.

15. Сказано, что Адам и его жена были нагими и не стыдились. Иными словами, они были лишены «одеяния» – внешней части, а имели только внутреннюю часть, происходящую из системы альтруистических миров, и поэтому не стыдились, то есть не ощущали своего недостатка.

Но, как известно, именно ощущение недостатка является причиной наполнения желания. Так же больной, если он чувствует, что болен, готов лечиться, а если не чувствует – конечно же, будет избегать лечения. Функция ощущения недостатка возложена на внешнюю часть души, которая в структуре Адама лишена света. Ощущение недостатка происходит из пустого пространства и порождает в человеке чувство опустошенности, ущербности – стыда.

Чувство опустошенности вынуждает человека вернуться к наполненному состоянию и привлечь окружающий свет, которого ему недостает, и который готов наполнить это кли. Слова «И были Адам и его жена нагими (без внешнего кли) и не стыдились» означают, что они не чувствовали своей ущербности и, соответственно, желания достичь цели, ради которой были созданы. Но каким же образом Адам, желавший только отдачи, подобный Творцу, обманулся и упал в эгоизм?

16. Чтобы прийти к совершенному состоянию, человек имеет возможность анализировать свои текущие состояния по двум парам категорий:

• «Добро – зло». Характер действия этой силы, воздействующей на тело, определяется ощущениями «горько – сладко». Человек избегает ощущения горечи, потому что от него ему плохо и стремится к «сладкому» ощущению, потому что ему от него хорошо. Сила этого анализа, действующая на неживом, растительном и животном уровнях, достаточна для приведения к желаемому совершенству.

• «Правда – ложь». Возможность дополнительного анализа по этим категориям существует только у человека. Каждый человек в соответствии с уровнем своего развития и силы разума отвергает ложь и тянется к правде. Возможность такого анализа унаследована от эгоистического желания, так как изначально Творец создал только анализ по категориям «добро – зло». И человеку было достаточно анализировать свои состояния только по этим категориям, пока он находился под властью одних только эгоистических желаний.

Если бы в нашем мире человек вознаграждался за добрые, альтруистические поступки и наказывался за плохие, эгоистические, то добро ощущалось бы как сладкое и хорошее, а зло – как плохое и горькое, и весь анализ сводился бы к ощущению «сладко – горько». В таком случае все бы избегали злых, эгоистических поступков, испытывая от них плохие ощущения, и совершали бы только добрые, альтруистические поступки. Люди искали бы Творца, ощущая от этого сладость, как сегодня радуются эгоистическому наслаждению, и в итоге всем гарантировалось бы достижение совершенства.

Таким изначально создан Адам: хорошее ощущение побуждало его совершать альтруистические действия, а плохое ощущение не давало ему совершать эгоистические поступки. Получается, что выбор Адама заключался в выборе сладости (телесный выбор). Этого было достаточно, чтобы знать желание Творца и поступать правильно.

17. Но не так просто внести в Адама противные ему эгоистические свойства. Все сводится к способам анализа. Известно, что наполнение желания получать наслаждение – это цель творения. Только намерение при этом должно быть не эгоистическим, ради себя, а альтруистическим, ради отдачи.

Поэтому первое приближение к получающим желаниям было оправданным – ведь сами желания не запрещены, именно в них получает человек наслаждение, изначально уготовленное ему Творцом. Только эгоистические намерения использования желаний не позволяют человеку достичь цели творения. Но если очистить желания от эгоистических намерений, то можно использовать их с намерением на отдачу. Именно для этого Адам присоединил к себе получающие желания.

18. Как мы уже выяснили, у Адама не было получающих желаний, исходящих из пустого пространства, а были только отдающие желания. Но ему раскрылось, что он достигает отдачи Творцу именно путем получения в эти большие желания. И потому он присоединил к себе желания получать с намерением использовать их для отдачи.

Однако, Адам смог сохранить намерение ради Творца только при первом получении света-наслаждения, а затем возжелал получать наслаждения ради себя. Причина этого в том, что при первом знакомстве с наслаждением еще можно отказаться от него, но затем возникает огромное желание и вожделение к уже испробованному, и процесс выходит из-под контроля. Вот почему первое получение было с намерением ради Творца, а второе – с намерением ради себя.

Итак, Адам ощущает большие ненаполненные желания, и вместо заботы об отдаче Творцу, он заботиться уже только о себе. Вечную жизнь сменила забота о собственных потребностях. И разделилась жизнь на миллиарды маленьких жизней многих людей. Каждый из них получает отмерянное ему по капле, в течение многих кругооборотов, во всех поколениях вплоть до последнего поколения, завершающего цель творения, и это похоже на одну большую цепь.

При этом действия Творца совершенно не изменились. Просто свет жизни, полностью наполнявший Адама, распределился на всю эту длинную цепь, безостановочно накручивающуюся на колесо изменений свойств, которое вращается на пути к цели творения вплоть до окончательного исправления.

И так же, как с Адамом, так это произошло и со всей природой. От вечности и единения с Творцом она спустилась на низший уровень и проходит исправление свойств, как и Адам.

19. В результате присоединения получающих желаний в Адаме возникло два повреждения:

• После того как Адам вкусил наслаждение в получающих желаниях и приобрел желания пустого пространства, в нем возникла ненависть, и он отдалился от свойства отдачи, от Творца.

• 288 искр, которые уже наполняли желания отдачи, упали в эгоистические желания. Теперь они обеспечивают существование человека и мира в течение всего периода кругооборотов душ в телах до окончательного исправления.

Отсюда становится понятным предназначение эгоистических желаний в человеке. Они подобны кожуре плода, которая покрывает и предохраняет его от вреда, пока он не созреет. Без кожуры плод пропадет и не достигнет созревания. Так и 288 искр, упавшие в эгоистические желания, обеспечивают их существование, пока они не достигнут желаемой цели.

Наличие второго повреждения вынуждает сам эгоизм человека использовать отдачу, чтобы наполниться.

Система эгоистических сил выстроена следующим образом: любая частичка низшего мира является ветвью, произрастающей из своего корня в Высшем мире, а тот – из более высокого уровня. Различие между ветвями и их корнями заключается только в материале, из которого они состоят: у материала этого мира основа материальная, а у материала мира Ецира основа духовная.

Однако все процессы в них тождественны сходны друг с другом. Поэтому, познавая ветвь в нашем мире, мы можем изучать ее корень в Высшем мире.

Сказано в Книге Зоар, что болезни человеческих тел происходят от системы высших эгоистических сил. Изучая животных, мы обнаруживаем, что именно наслаждение преумножает их жизнь. И потому Высшее управление отпечатало в них такое свойство, что всюду найдут они удовлетворение и наслаждение, даже от пустячных мелочей, поскольку уровень малого обязан размножаться в максимальной степени, получая удовлетворение от цветения и роста.

Отсюда и вытекает их наслаждение. Таким образом, свет наслаждения порождает жизнь. Однако этот закон относится лишь к наслаждению общего уровня. А в наслаждении, которое ощущает отдельная особь животного уровня, действует обратная закономерность. К примеру, если есть на теле какое-то повреждение, вынуждающее расчесывать его, то само действие вызывает наслаждение, которое побуждает его продолжать.

Однако в этом наслаждении заложено зло, и если животное не преодолеет стремление к наслаждению, то почесывание будет увеличивать желание, и наслаждение обернется болью. А при заживлении возникнет новая потребность в расчесывании, в еще большей степени, чем ранее, и если субъект еще не властвует над желанием, то будет увеличивать пораженное место, пока это действие не приведет к печальному концу – заражению крови и к смерти. Такое требование невозможно удовлетворить, а попытка удовлетворить его лишь увеличивает требование.

Точно так же, получение эгоистического наслаждения человеком, при котором он желает получить только для себя и не отдавать никому, находящемуся вне себя, в итоге ведет его к смерти. Человек не в силах справиться с растущими эгоистическими желаниями и уступает их напору даже ценой собственной жизни.

20. Вследствие двух вышеуказанных повреждений Адама, также нарушается строение желаний человека, изначально соответствующих изобилию, которым обеспечивает их система Высших миров. В целом каждое совершенное действие осуществляется таким образом, чтобы оберегать его

части от избытка и недостатка; а действие несовершенное осуществляется так, что его части не взаимосвязаны, и в них имеется недостаток или избыток.

Этот закон обязывает совершенного совершать совершенные действия. Однако при переходе сверху вниз, из системы чистых миров в миры эгоистические, к желаниям человека добавилось много новых – таких, в которых нет никакой необходимости для их существования.

Это приводит человека к получению наполнения в свои желания в количестве большем, чем ему необходимо. Но поскольку дополнительные желания не могут получать то, что требуют, получаемое остается в организме как избыток, шлаки, которые необходимо выводить наружу. В результате, весь организм работает на износ, что приводит его к смерти. Рассмотрим два вида управления, противоречащие друг другу:

• общее управление нашим миром;
• управление существованием каждой особи в отдельности.

Переход из альтруистической к эгоистической системе управления был вызван возникновением большого желания получать ради себя, которое люди ощутили вследствие грехопадения, то есть, лишения экрана. Это повлекло за собой разделение, возникновение противоположности и противоречия между альтруистической системой управления (системой миров) и желаниями человека этого мира.

Альтруистическая система управления (чистые миры) уже не может поддерживать существование действительности и обеспечивать ее необходимым от действий отдачи. Тогда для того чтобы не разрушилось мироздание, и чтобы предоставить возможность исправления, общий свет, состоящий из 288 искр, передан эгоистической системе управления, чтобы она обеспечивала человечество в период исправления.

Вследствие этого, порядок мироздания оказался крайне запутанным, потому что те, кто совершают эгоистические поступки, порождают зло, но, если уменьшается изобилие света для людей, это приводит к разрушениям и страданиям. С другой стороны, с увеличением изобилия возрастает в получающих сила разделения по принципу: сколько бы человек ни получил, он всегда хочет вдвое больше.

Разобщающее наслаждение уже описано в примере с раной на теле, когда эгоистическое удовольствие усиливает разделение и повреждение, отчего все больше увеличивается любовь к себе. И жизнь тела при этом укорачивается, потому что увеличение количества получаемого, приближает каплю яда смерти, неизбежно следующую за этим.

И только занимаясь наукой каббала, привлекая на себя Высший свет, человек понемногу изменяет свойства получения на свойства отдачи. Так свойства человека становятся подобны свойствам чистых миров БЕА, альтруистической системе управления – и возвращается равенство и любовь между людьми, как было до падения Адама, и человек удостаивается Высшего света в слиянии с Творцом.

21. Вернемся к притче, где рассказывается об ответах категорий милосердия, правды, справедливости и мира на вопрос Творца о сотворении человека (см. п. 11). Мы видим, что человек противоречит даже категориям милосердия и справедливости, согласившихся с созданием человека, поскольку он совершенно выходит из-под их воздействия, и «кормится» от эгоистической системы управления.

Поэтому сказано, что Творец «послал правду в землю», но тут же сказали остальные свойства: «Подними правду с земли» – то есть даже категории милосердия и справедливости раскаялись в своем согласии, потому что никогда не согласились бы на унижение правды. Это произошло во время присоединения получающих желаний, то есть, грехопадения, когда правда вследствие своей слабости прекратила участвовать в управлении миром, и перестал действовать естественный с момента его сотворения анализ человека по принципу «сладко – горько» (см. п. 16). Ведь свет, обеспечивающий существование 288 искрами, исходил от альтруистической системы управления, а потому природного ощущения (вкуса) было достаточно, чтобы наслаждаться сладостью и отвергать горечь, не ошибаясь в этом.

Однако после присоединения эгоистических желаний и получения в них света, после того, как первый раз вкусили плод древа познания – появилось огромное желание получения только для себя, и возникла противоположность между духовным и материальным. А 288 искр изобилия, обеспечивающие существование, перешли к системе эгоистических миров и снова перемешались – отчего родилась в мироздании новая форма, начало которой сладкое, а конец горький. Ведь 288 искр наслаждения, заключенные в эгоистической системе управления, несут смерть, свойство лжи, порождающие разрушение и хаос.

Сказано: «отправил правду в землю» – этим добавилась человеку действующая сила разума, характер действия которой основан на анализе на основе правды и лжи. Человек вынужден пользоваться ею на протяжении всего периода исправления, так что без нее он просто беспомощен (см. п. 16). И только с помощью Высшего света, привлекаемого в результате изучения правильных действий системы управления, которые описываются в науке каббала, анализ человека исправляется, и он выходит из-под власти эгоистической системы управления.

22. Вследствие падения в эгоистические свойства (совершения греха древа познания), Высший свет исчез из Адама и разделился на множество частных душ. Отличие состоит лишь в появлении дополнительной формы: общий свет, наполнявшей ранее творение, распространился по нескончаемой цепочке, накручивающейся на колесо изменения свойств во множестве душ до неизбежного конца исправления. Каждый из нас связан с этой большой цепью душ и поколений. Отсюда следует, что человек живет не ради собственных нужд, а ради нужд всей цепочки, и каждое звено не

получает свет жизни внутрь себя, а проводит свет жизни ко всей цепи в целом.

Как уже показано в п. 15, падение в эгоизм было для Адама обязательным, ведь ему требуется приобрести внешние желания для получения окружающего света таким образом, чтобы две противоположности появились в одном носителе, но в разное время, одна за другой. В малом состоянии он питается от эгоистической системы управления, получая наслаждения от разобщения, а потому и растет в нем желание получить, исходящее из пустого пространства. А когда человек достигает большого состояния и занимается наукой каббала, у него появляется способность обратить большие желания получения в отдачу, что является главной целью, называемой «свет правды» (см. п. 14).

Однако известно, что перед тем как присоединиться к системе альтруистического управления, человек обязан отказаться от любой формы получения от системы эгоистического управления. Нам дается указание – достичь свойства любви всем сердцем и душой.

В таком случае, какова польза от исправлений, если человек опять теряет все, чего достиг? Для этого собраны праведники и грешники в каждом поколении так, что они равны по весу. И хотя мы видим, что на одного праведника приходятся десятки тысяч никчемных, все дело в том, что есть два вида управления:
- силой качества;
- силой количества.

Силы управляемых от системы эгоистических сил, малы и низменны. В творении создана сила количества, и сила эта совершенно не нуждается в каком-либо качестве. Объясним это на примере львов и тигров, с которыми не будет бороться ни один человек из-за их качественной силы. По сравнению с ними, мухи обладают силой не качественной, а только количественной. Из-за неисчислимого количества, с ними не будет сражаться ни один человек. Они летают по дому, садятся на накрытый стол, и человек чувствует себя слабым перед ними.

Однако, что касается полевых насекомых, пресмыкающихся и прочих незваных гостей того же рода, сила которых по качеству превосходит силу домашних мух, — не успокоится человек, пока не выгонит их из дома, даже если силы их по качеству будут выше, чем у домашних мух. Дело в том, что природа не наградила их силой множества, как домашних мух. Отсюда понятно, что на каждого праведника обязательно должна приходиться огромная масса, для того чтобы задействовать в нем грубые склонности в силу своей многочисленности, так как нет у них совершенно никакого качества. И этим помогают все друг другу в достижении общего совершенства.

ПРЕДИСЛОВИЕ К КНИГЕ «УСТА МУДРОГО»

После долгого периода развития в человечестве пробуждается желание, находящееся вне нашей природы, вне этого мира. Оно проявляется в виде вопроса о смысле жизни – ведь в итоге всех страданий и наслаждений мы так и не поняли, зачем это было нужно, зачем живет человек.

Со времен написания книги Зоар каббалисты указывали на рубеж XX и XXI веков как на время духовного подъема. Сегодня зарождается общая потребность в особой силе, способной вытянуть нас из ощущения этого мира и раскрыть истинный мир, в котором мы живем на самом деле.

Чтобы ощутить его, нам необходимо обрести душу – шестой орган чувств, предназначенный для восприятия духовной реальности. Кто отождествляет себя с душой, живет душой, тот ощущает вечность. Он пребывает в бесконечном течении жизни и не связан желаниями этого мира.

Каббалистическая методика выходит на свет именно для того, чтобы помочь нам осуществить этот переход. Без науки каббала человек не сможет достичь цели творения и вынужден будет вновь и вновь возвращаться в этот мир.

От редакции

Каббалисты считают, что изучать науку каббала обязан каждый человек, потому что, если он не обучался ей, он вынужден будет снова придти в этот мир, чтобы изучать эту науку. Чем же наука каббала отличается от остальных наук, если ею должен овладеть каждый, а если не овладеет, считается, будто бы зря прожил в этом мире? Почему совершенство человека зависит от изучения науки каббала?

Для выяснения этого, рассмотрим условие описания исследований каббалистов: «То, что не постигли – не описываем» (то, что не постигнуто, не называем по имени). К этому относится как временно не постигнутое еще этой наукой, так и то, что вообще постигнуть нельзя, как-то – суть Высшей силы. Поэтому каббалисты полностью отказываются даже чисто теоретически рассуждать о сути Высшей силы, а тем более давать своим рассуждениям определения, имена и пр.

Поэтому, все определения, даваемые Высшей силе, относятся не к ее сути, а к свету, исходящему от нее к нам. И даже определение «Бесконечность» в науке каббала означает свет, исходящий из сути Высшей силы. То есть, поскольку исследователи-каббалисты определили, что относительно получающих творений понятие света, исходящего из сути Творца, является бесконечным, то назвали его таким именем. И это незыблемый закон, гласящий, что о сути Высшей силы даже раздумья запрещены, поскольку суть абсолютно невозможно постичь. И невозможно назвать ее каким-либо словом, ведь это указывало бы на определенную степень постижения ее?

Тогда как света, исходящие от Высшей силы, человек может исследовать и называть по результатам своих исследований, давать характеристики. А поскольку каждый из нас находится как приемник этих светов, и они определяют все наше существование, то их исследование и правильное использование является нашей непреложной обязанностью, ведь этим мы изучаем все пути воздействия Высшей силы на нас. Итоги этих знаний и составляют суть науки каббала, а правильное их применение приводит к наполнению человека высшим светом и является достойным вознаграждением за его труды.

Сказано в Зоар, что все высшие миры созданы для того, чтобы привести каждого человека к совершенству. Эта цель является изначально причиной сотворения всех миров, как сказано в Книге Зоар: «Окончание действия находится уже изначально в замысле творения». Исходя из этой первопричины «насладить творения своим светом», созданы высшие миры, и наш мир, и человек, состоящий из двух сущностей, облаченных одна в другую – души, помещенной в материальное тело.

Итак, изначально человек помещается Высшей силой в свое самое низшее состояние – материальное тело с облаченной в него душой. И через систему нисходящих миров Высшая сила воздействует на него с целью развить его душу, духовный сосуд получения света, настолько, чтобы полностью его заполнить своим светом, как сказано: «И наполнится земля знанием Творца, так как все познают его все, от мала до велика».

Душа человека состоит из 613 желаний наполниться высшим светом. Изначально это желание эгоистическое, с намерением ради себя. Вследствие изучения науки каббала, в человеке возникает на каждое желание, от самого малого по величине до самого большого, намерение наполниться ради подобия Высшей силе, ради нее.

Исправление эгоистического намерения на альтруистическое называется действием исправления. Исправленное желание, в соответствии с его подобием Высшей силе, заполняется высшим светом, ощущением этой силы, Творца. Исправив намерения на все 613 желаний, человек постигает весь, исходящий от Высшей силы лично к нему, свет. Такое состояние называется «Личное исправление». Человек достигает этим полного личного единения с Высшей силой.

Души отличаются между собой своими свойствами. Это отличие свойств вызывает отличие во внешних признаках человека от окружающих. Но отдаленность или близость душ зависит не от отличия их свойств, а от индивидуального эгоистического намерения каждой наполнить только себя. Если человек исправляет свое намерение, он достигает этим сближения, вплоть до соединения своей души с другими душами и тогда дополняет себя их желаниями и светом, их наполняющим. Такое состояние называется «Полное исправление душ». Соответствующее полное наполнение высшим светом называется «Мир бесконечности». Результатом этого состояния является постижение ощущения вечности, совершенства, покоя, полного познания.

Действия человека в освоении высшего пространства делятся на:

1. Исправление своего эгоистического намерения на альтруистическое. Этим само желание насладиться, наполниться высшим светом, определяется как подобное Высшей силе, альтруистическое.

2. Наполнение исправленного желания высшим светом. В итоге человек постигает свойства Высшей силы, ее цели, замысел своего сотворения. И в этом его вознаграждение.

До тех пор, пока человек не достиг такого состояния своей души, он должен будет появляться вновь и вновь в этом мире, потому что самая высшая ступень, мир бесконечности, полное слияние всех душ и их полное наполнение всем высшим светом, должно осуществиться во время их жизни на земле. Поэтому каждое поколение является повторением предыдущего, то есть явлением душ в новые тела.

Отсюда видна практическая важность науки каббала.

ПРЕДИСЛОВИЕ К «УЧЕНИЮ ДЕСЯТИ СФИРОТ»

Здесь описывается весь духовный путь человека, начиная с того момента, когда он впервые задумывается о смысле жизни. Для людей, которые уже задались главным вопросом, и предназначена наука каббала.

Настоящий ответ на этот вопрос может дать только постижение всего мироздания в целом. Остальные ответы половинчаты, они призваны отвлечь человека, увести его в сторону, запутать частичным решением. Только цельная картина, полное постижение всех причин и следствий позволит нам узнать зачем мы живем.

Вопрос о смысле жизни возвращается снова и снова на протяжении тысячелетий, однако сегодня он выявился в такой остроте, что нам просто необходимо разобраться в нем окончательно. Если мы уже не в силах затушевать его, если мы хотим вобрать в себя все мироздание и влиться в его вечный поток, значит, о нас говорит это «Предисловие». Тогда нам действительно пришло время открыть эту книгу и устремиться к ответу.

От редакции

1. Прежде всего необходимо разрушить железную стену, существованием своим отделяющую нас от науки каббала со времен разрушения Храма 2000 лет назад и далее, вплоть до нашего поколения. Она отрезает нас от совершенного, вечного, уверенного существования. Вызывает тревогу, как бы люди вовсе не забыли науку каббала и таким образом не опустились в состояние еще большей тьмы, опустошенности и отчаяния.

2. На вопрос, для чего нам необходимы каббалистические знания, сама кабала отвечает так: если мы устремим свое внимание к ответу лишь на один известнейший вопрос, то все вопросы и сомнения о необходимости изучения каббалы исчезнут. Ведь речь идет о вопиющем вопросе, к которому так или иначе приходят все, живущие в этом мире: В чем смысл нашей жизни, в чем смысл этих горьких лет нашего никчемного существования, стоящих нам так дорого, доставляющих в основном страдания и мучения, которые мы претерпеваем лишь для того, чтобы в итоге примириться с ними.

И хотя люди задавались этим вопросом во все века и задаются сегодня, существо вопроса осталось неизменным во всей своей силе и горечи. Подчас этот вопрос застигает нас врасплох, прожигая наш разум и унижая в прах, прежде чем нам удается прибегнуть к известному ухищрению: не рассуждая влачиться в потоках жизни, как и вчера.

Наука каббала претендует не только на выяснение этого вопроса, но и на раскрытие как теоретического, так и практического ответа. Она представляет собой практическую методику приведения человека к цели его сотворения.

3. На вопрос о смысле жизни каббала отвечает: поскольку источником всего существующего является единая высшая управляющая сила – Творец, только понимание Его замысла и Его управления даст нам ответ на этот вопрос. Наука каббала занимается именно этим. Об этом повествуют нам каббалисты – люди, которые уже познакомились с Творцом, с Его замыслом, планами относительно нас и целью, к которой Он

желает нас привести. Каббалисты говорят, что постижение этой цели приводит человека к совершенству, наполнению, ощущению вечности, добра, наслаждения. Сближение с Творцом – это сближение с источником, который нас породил, а ощущение этого источника вызывает в нас наслаждение.

Но человеку самому необходимо прийти к совершенному состоянию, уготовленному ему Творцом. Это похоже на заранее подготовленный бал, на который только необходимо купить билет. Или, как говорят каббалисты, у Творца есть замок, полный добра, который Он выстроил для человека, а человеку необходимо добраться до этого замка. Причем, сам путь необходим для того, чтобы в человеке скопились требования именно к тем наслаждениям и в том виде, в котором они находятся в этом замке Творца.

Путь к этому замку называется путем исправления, который должен пройти каждый человек, иначе он не ощутит, не обнаружит этот замок. А сам замок появляется, как бы материализуется по мере исправления человеком своих свойств в подобие этому замку. Поэтому сказано: «Смотри, предложил Я тебе сегодня жизнь и добро, и смерть и зло». То есть наше сегодняшнее существование оценивается как смерть и зло, ибо страдания и мучения, которые мы выносим ради поддержания своей жизни, во много раз превосходят то малое удовольствие, которое мы испытываем в этой жизни.

Однако, совершая исправления, которые помогают нам найти волшебный замок Творца и жить в нем, мы действительно удостаиваемся истинной жизни, радостной и радующей. А потому после слов «Смотри, предложил Я тебе сегодня жизнь и добро, и смерть и зло», сказано: «Вкусите как приятен Творец».

Далее говорится: «Избери же жизнь». Но как можно предлагать жизнь, живому человеку? Здесь подразумевается жизнь в подобии Творцу, в ощущении совершенства, вечности и наполнения. А под смертью понимается существование со свойствами, противоположными Творцу, которое считается хуже смерти.

4. Творец, говоря «Избери жизнь», возлагает руку человека на хорошую судьбу тем, что дает ему удовольствие и усладу внутри материальной жизни, и при этом создает ему жизнь, полную лишений, страданий и лишенную всяческого содержания. А человек непременно срывается и бежит, чтобы ускользнуть от такой жизни, которая тяжелее смерти. И нет для человека большего указания со стороны Творца.

Выбор же человека состоит лишь в укреплении на этом пути. От него требуются многочисленные усилия для очищения себя от эгоизма, от стремления к самонаслаждению до тех пор, пока его мысли и действия не устремятся лишь на то, чтобы доставить удовольствие Творцу тем, что он поступает во всем альтруистически, так же, как Творец. И только таким образом человек удостаивается счастливой жизни. Но прежде, чем человек достигает такого очищения, он находится в состоянии выбора: укрепиться на хорошем пути при помощи всевозможных средств и ухищрений и делать все, что в его силах и возможностях, пока не завершит работу по очищению от эгоизма, или – упасть под тяжестью эгоизма посредине пути.

5. Исходя из вышесказанного становится ясным отличие науки каббала от остальных наук. Науки мира не требуют изменения природы человека, чтобы постичь их, достаточно одного только усердия. В науке каббала недостаточно только ее изучения. Чтобы постичь ее, необходимо исправить свою природу с эгоистической на альтруистическую. Иначе все изучаемое останется формальным знанием, вместо того чтобы стать постижением, обретением новой жизни, существованием в слиянии с Творцом в Его вечности и совершенстве.

Окончание высказывания еще более удивительно: «Если сделаешь так – хорошо будет тебе и в этом и в будущем мире». Допустим, в будущем мире мне будет хорошо, однако.

как можно называть такую жизнь в этом мире счастливой, если я посвящаю ее исправлению своей природы?

6. Действительно, исправление эгоизма в подобие к Творцу, к свойству отдачи достигается огромной работой над собой. И только после того, как человек обретет свойство, позволяющее ощущать удовольствие не ради себя, а только доставляя его Творцу, он приходит к ощущению альтруистических наслаждений высшего совершенного и вечного мира.

7. Путь человека к цели его сотворения состоит из двух частей:

• Путь исправления, который требует большой подготовительной работы, когда человек должен избавиться от своей первозданной эгоистической природы, все еще находясь в эгоизме и всеми силами пытаясь избавиться от него. Этот период пути трудный и неприятный.

• Когда человек избавился от эгоизма и подготовил себя для выполнения действий ради Творца, тогда он приходит ко второй части пути – к жизни в усладе и великом покое. В этом и состоит замысел творения: «принести благо созданиям» – то есть привести человека к наисчастливейшей жизни и в этом мире, и в мире будущем.

8. Тем самым отчетливо проявляется большое различие между наукой каббала и остальными науками мира. Постижение прочих наук мира вовсе не улучшает жизнь в этом мире, само постижение не увлекает ученого в иное состояние, поэтому он не обязан исправлять себя. Человеку достаточно лишь приложить усилия в обучении, так же как и для прочих приобретений этого мира, получаемых в результате вложенных усилий. Задача же науки каббала состоит в том, чтобы помочь человеку, изучающему каббалу, очистить себя от эгоизма и, тем самым, стать достойным получить Высшее благо, которое заключено в замысле творения.

9. Также отчетливо проясняется смысл сказанного: счастлив будешь и в этом мире. Имеется в виду, что для того, кто завершил избавление от эгоизма и осваивает свойства

альтруизма, наступает жизнь, полная смысла, постижения совершенства, счастья и благ, которые заключены в замысле творения. Человек обретает смысл жизни в этом мире, и тем более, в мире будущем.

10. Одним единственным действием творения Творец создал совершенный мир, во всей своей полноте и завершенности. Но чтобы уготовить место для свободы выбора и работы, этот совершенный мир скрыт и раскрывается человеку только в мере подобия ему, то есть в мере исправления, что называется, в будущем. Поэтому такое постижение называется будущий мир. Люди, занимающиеся исправлением своей природы, удостаиваются его только в будущем, что означает, после окончания очищения от эгоистических желаний. Тогда они становятся достойными того большого света и в этом мире, как сказано: «Мир свой увидишь при жизни своей».

11. Однако, как можно человеку, имеющему эгоистическую природу, самому начать избавляться от своего единственного свойства? Каббалисты отвечают: Человек должен заниматься наукой каббала, даже будучи эгоистом, даже с эгоистическими целями. Постепенно он придет к альтруистическим целям вследствие воздействия на него Высшего света, который во время занятий по истинным каббалистическим книгам возвращает человека к Источнику, делает его подобным Творцу.

Другими словами, есть особое средство, называемое «Высший свет», в котором заключена достаточная сила, чтобы уподобить человека Творцу, поскольку этот свет исходит от самого Творца. В таком случае все сводится к тому, чтобы вызвать на себя излучение, нисхождение исправляющего Высшего света.

12. В жизни мы можем наблюдать примеры, когда люди, занимающиеся наукой каббала, не достигают раскрытия Творца. В чем причина такого неудовлетворительного результата?

Дело в том, что Высший свет нисходит на человека только в том случае, если тот правильно изучает науку каббала, то есть уверен в вознаграждении или наказании вследствие своих занятий, и занимается наукой каббала с целью вызвать на себя Высший исправляющий его свет. В таком случае, несмотря на то что изучающий еще полностью находится во власти эгоистических желаний и, конечно же, преследует только эгоистические цели, во время занятий нисходит на него Высший исправляющий свет. Если же человек не намеревается исправить свою природу, то вместо продвижения к цели он еще больше удаляется по свойствам от Творца.

13. Отсюда следует, что, если учащийся не избавился от эгоизма и не обрел альтруистические свойства, это является следствием отсутствия правильного намерения в процессе изучения. Находящийся же в эгоистических мыслях, желаниях, намерениях, но хотя бы в чем-то желающий изменить свое состояние, вызывает на себя нисходящий Высший свет, который придает ему свои свойства отдачи, свойства источника этого света – Творца.

14. Устремление человека проявляется в самих занятиях наукой каббала. Если человек ощущает, что занятия каббалой – это лекарство, позволяющее спасти себя, вырваться из жизни, которая хуже смерти, то он полностью погружается в занятия, не упускает ни единой возможности, не пренебрегает ни единым мгновением своего свободного времени для занятий наукой каббала.

15. Человек, изучающий науку каббала, но не преследующий цели достичь подобия Творцу, свойства отдачи, неправильно воспринимает весь изучаемый материал, и в итоге учение приносит ему вред.

16. Если человек занимается для обретения свойства отдачи, занятия приводят его к Высшему совершенству, а если он занимается не ради отдачи, занятия приводят его к еще большей тьме. Если человек занимается каббалой ради исправления, если верит в вознаграждение и наказание, но к

311

его намерению насладить Создателя подмешивается желание личной выгоды, – свет все же возвращает его к Источнику. Если человек занимается каббалой не ради исправления, поскольку не верит в вознаграждение и наказание до такой степени, чтобы приложить требуемое количество усилий, но прилагает усилия лишь ради своего собственного наслаждения, – в итоге он еще больше удаляется от цели своего предназначения. Сам того не замечая, он становится еще большим эгоистом.

17. Приступая к изучению каббалы, человек должен установить себе в качестве цели раскрытие Творца и Его управления вознаграждением и наказанием, поскольку такое раскрытие постепенно исправит его эгоистическую природу на альтруистическую, с намерением ради Творца во всех его мыслях и действиях.

Исправиться и полностью уподобиться Творцу можно лишь путем изучения каббалы с намерением достичь этой цели.

18. Итак, изучение может начать любой человек, находящийся в любых эгоистических свойствах. Но учеба предполагает наличие у человека личного вопроса о смысле жизни, то есть внутренней потребности в раскрытии Творца. В таком случае занятия наукой каббала вначале приводят человека к аннулированию эгоистических намерений во всех его мыслях, желаниях, действиях. И нет иного средства достичь подобия Творцу.

А если человек занимался наукой каббала, но не смог исправить свой эгоизм, это значит, что он не приложил достаточного количества или качества усилий, требуемых для исправления. То есть, в процессе занятий наукой каббала он не обращал достаточного внимания на то, чтобы вызвать воздействие Высшего исправляющего света, а преследовал иные цели занятий.

Возможно, он начинал занятия с правильной целью, но затем забывал о ней в процессе учебы.

19. Человек, достигший исправления эгоизма, намерений отдачи, способен во всем видеть действие Высших управляющих сил Творца.

20. Нет иного средства достижения цели творения, кроме изучения науки каббала, и поэтому человек ни в коем случае не должен оставлять занятия ею.

21. Не требуется никакой предварительной подготовки для занятий наукой каббала. Результат достигается лишь благодаря желанию человека к правильной цели – достичь подобия Творцу.

22. Именно изучение действий Творца по каббалистическим текстам способно исправить человека, потому что в каббале изучаются непосредственно действия Творца. При этом легко помнить о цели изучения – достичь возможности совершать такие же действия. Отсюда, в частности, следует, что исправление как желаемый результат учебы зависит не от умственных способностей, характера и прочих природных задатков человека, а только от его желания.

23. Если человек не достиг исправления эгоизма за пять лет учебы, причина этого только в недостатке его намерения.

24. Науку каббала нужно изучать только по оригинальным источникам.

25. Изучение должно преследовать только ту цель, которая обозначена Творцом и для чего раскрыты нам каббалистические книги, описывающие скрытый мир, действия Творца. Цель – уподобление описываемым действиям.

26. После исправления учащийся в любых иных источниках уже может видеть описание высших действий.

27. Наука каббала состоит из двух частей:

•Тайная – которую можно раскрыть лишь человеку, уже достигшему понимания всех действий Творца. Тайная часть науки каббала состоит из «Маасэ-Меркава» («Действие Созидания»), «Маасэ-Берешит» («Первичное действие») и трех первых сфирот (ГАР) парцуфа (Кетэр, Хохма, Бина) или «головы парцуфа».

• Явная – которую можно и необходимо раскрывать всем. Явная часть науки каббала называется «семь нижних сфирот (ЗАТ) парцуфа», или «тело парцуфа».

28. Устройство мира Ацилут, управляющего мирозданием, таково, что часть действий Творца – ГАР мира Ацилут – скрывается, а часть действий Творца – ЗАТ мира Ацилут – раскрывается. Человек, изучающий каббалу, обязан поступать также.

29. Человек, постигающий тайную часть каббалы, получает огромное вознаграждение (продвижение и наполнение) за то, что не раскрывает постигаемое, а человек, постигающий явную часть каббалы, получает огромное вознаграждение за то, что раскрывает ее другим. Эти две части называются «тайны» и «вкусы».

30. Скрытие и ограничение на раскрытие и передачу всегда относилось только к тайной части мира Ацилут – ГАР мира Ацилут. Эту скрытую часть каббалистических знаний можно передавать только особым ученикам, уже достигшим таких ступеней очищения и подобия Творцу, которые соответствуют ГАР мира Ацилут. Соответственно, во всех написанных и отпечатанных книгах по науке каббала не найдется даже упоминания о скрытых знаниях о ГАР мира Ацилут, ибо их скрывает уже его первый парцуф – Атик. А все излагаемое в каббалистических источниках – это явная часть науки каббала, которую каждый каббалист обязан раскрывать.

Великие каббалисты всех поколений выпускали книги по науке каббала, созданные ими с их уровня подобия Творцу. И нет большего раскрытия, чем написание книги и выпуск ее в свободную продажу. Отсюда ясно, что все истинные каббалистические книги непременно относятся к той части науки каббала, которые предписано раскрывать, ибо от раскрытия каббалы зависит освобождение от страданий и возвышение всего человечества к Творцу.

31. Спасение от всех страданий и достижение счастья, вечности, совершенства возможны только при моральном

подъеме к Творцу всего человечества, что может быть осуществлено только Высшим светом, который изначально создал нас в нашем настоящем самом низшем из всех существующих состоянии. Высший свет уменьшением себя вызывает в нас страдания, чтобы в итоге их накопления мы осознали необходимость освобождения от них, и сами посредством изучения науки каббала вызвали на себя его воздействие. Очевидно, что противники изучения науки каббала отдаляют освобождение человечества от страданий.

32. Поскольку изначально человек создан абсолютным эгоистом, то в первый период он занимается каббалой только ради получения вознаграждения. Эта предварительная стадия неизбежна.

33. Единственной целью занятий каббалой должно быть исправление эгоизма изучающего ее человека. Если человек не испытывает необходимости в исправлении до уровня Творца, ему не раскроется в учебе Высший мир. Наоборот, эгоизм возрастет и отдалит человека от духовного.

34. Поэтому вначале изучающий должен достичь свойств отдачи и наполнения светом хасадим – светом милосердия, а затем уже в свет хасадим оденется свет хохма – свет мудрости.

35. Если человек, изучающий каббалу стремится к обретению свойства отдачи, то удостоится раскрытия Творца. Однако, если он учится не ради исправления, то еще больше погружается в эгоизм. У человека, не желающего изучать науку каббала, нет иного средства, чтобы достичь исправления и подобия Творцу.

36. Изучая истинные каббалистические книги, человек вызывает на себя свет исправления, который действует на человека только в мере его стремления достичь отдачи и любви к Творцу.

37. Книги, написанные каббалистами прошлых поколений, очень трудны для изучения начинающими. Поэтому Бааль Сулам написал каббалистические книги, по которым

каждый желающий может начинать свои занятия каббалой и достичь цели своего существования.

38. Ради чего именно нужно заниматься каббалой?

39. Правильное занятие каббалой приводит человека к вечной жизни, а неправильное – к духовной смерти.

40. Все вознаграждение за усилия в каббале – в раскрытии Творца.

41. Творец скрывается только в истинных каббалистических книгах и раскрывается только путем правильного изучения этих книг. Ни в чем ином, кроме каббалистических книг о Нем, Творец не скрыт, Его там просто нет. Поэтому и искать Его надо именно там, где Он скрывается. Скрытие необходимо, чтобы Творца смог раскрыть только желающий и подготовленный человек, уже обладающий развитым эгоизмом, приложивший необходимое количество и качество усилий, которые сформировали из его эгоизма нужную для раскрытия Творца форму.

42. Скрытие Творца не позволяет нам выполнять Его желания, а наоборот, побуждает нас к действиям, обратным Его желанию. Такими действиями мы вызываем на себя отрицательное воздействие свыше, ощущаемое нами как страдания. А если бы мы ощущали Творца, то желали бы поступать так же, как Он, и поступали бы всегда правильно. В результате мы бы испытывали только положительное воздействие Высшего управления.

43. Если бы управление Творца было открытым, то все поневоле поступали бы правильно, потому что человек, в силу своей природы, не может наносить себе вред. Видя воочию, как за нежелательным поступком немедленно следует наказание, а за положительным – вознаграждение, он вынужденно выполнял бы желания Творца, избегая наказания и устремляясь за вознаграждением. И тогда все мы стали бы праведниками.

44. Очевидно, что в нашем мире нам недостает лишь раскрытия Высшего управления. Поскольку, если бы Высшее

управление было раскрыто, то все стали бы совершенными праведниками и слились бы с Творцом в совершенной любви. Но, по всей видимости, наше вынужденное правильное поведение нежелательно Творцу, и поэтому Он скрыл себя от нас.

И более того, Творец запутал Свое управление так, что нам кажется, что злодеи процветают. Притом, что желание к раскрытию Творца возникает у многих, пока лишь единицы находят в себе силы прийти к цели.

45. Человек, идущий по пути постижения Творца, ощущает два вида Его управления:

• скрытое – одинарное сокрытие и сокрытие внутри сокрытия;

• открытое – вознаграждением и наказанием и управлением любовью.

46. Сказано:

• «Возгорится гнев Мой – и сокрою лик Мой от них» – одинарное скрытие;

• «И постигнут его многие несчастья, а Я сокрою лик Мой» – двойное скрытие.

47. Когда на человека нисходит добро, он узнает в этом Творца.

48. Когда на человека нисходят страдания, он не ощущает в этом Творца, сомневается в его существовании.

Когда человек получает страдания – это означает, что Творец скрывает свой лик, являющийся мерой его блага. То есть, раскрыта Его обратная сторона, и необходимо укрепление в вере в Его существование и управление, чтобы поступать правильно. Это называется одинарным скрытием.

Творец изначально скрыт от эгоизма и не раскрывается человеку путем эгоистического, прямого изучения и желания постичь – даже для того, чтобы поступать правильно. То есть Творец не заинтересован в эгоистически правильных поступках человека, в том, чтобы человек поступал правильно и хорошо, видя все истинные законы мироздания, согласно которым его добрые поступки несут ему добро.

Для этого Творец просто не должен был бы скрывать себя. Наоборот, Он раскрыл бы себя перед эгоистическим познанием человека. Однако Творец желает именно изменения человеческой природы с эгоизма на альтруизм, то есть изменения мотивации поступков человека. Поэтому Он будет скрывать себя до тех пор, пока намерения, мотивации человека не изменятся с эгоистических на альтруистические, а затем будет раскрываться по мере обретения человеком этих мотиваций над своими желаниями.

49. Когда страдания увеличиваются, это приводит к двойному сокрытию, «скрытию скрытия». Тогда человек не ощущает, что Творец скрыт, не верит в существование Творца и Высшего управления вознаграждением и наказанием, не считает, что его состояние – следствие скрытия Творца от него. Это называется верой в иные силы, идолопоклонством.

50. Если же человек считает, что Творец скрыт вследствие его эгоистического состояния как следствие управления вознаграждением и наказанием – это определяется как простое, одинарное скрытие Творца.

51 – 52. Творения различают два уровня восприятия скрытого управления:

• Одинарное сокрытие – означает лишь сокрытие доброго управления (лика), а обратная сторона раскрыта человеку. То есть он верит в то, что это Творец посылает страдания в наказание. Продираясь сквозь страдания и неприятности (обратную сторону Творца), трудно постоянно удерживать в мысли существование Творца и Его управление всем, что происходит с человеком и вокруг него. А потому человек забывает об этом и считает, что все исходит от случая, или от других людей, или от него самого – что называется преступлением, идолопоклонством.

Но и тогда он называется «незаконченным грешником», а его отступления от единственности Творца называются преступлениями, проступками. Они подобны оплошностям, поскольку являются следствием клубка неприятностей и страданий, но в целом человек верит в единственность Творца и Его управление вознаграждением и наказанием.

• Сокрытие внутри сокрытия – означает, что даже обратная сторона Творца (плохое управление) скрыта от людей, поскольку они не верят в вознаграждение и наказание. Тогда их проступки определяются как злоумышления. Они называются «законченными грешниками», ибо ощущают, что Творец не управляет творениями, и обращаются к идолопоклонству.

Первая ступень постижения управления – вознаграждением и наказанием

53. Вся работа человека по исправлению в условиях свободы выбора происходит в описанных выше двух стадиях одинарного и двойного скрытия Высшего управления. По страданию – и платеж. Ведь Высшее управление не явно. Беды всегда вызывают сомнения в управлении, и у человека всегда есть выбор: выполнить желание Творца или нет.

54. Однако, после того, как человек приложит все свои силы, ему раскрывается Высшее управление (ощущение блага), и как следствие – он возвращается к Творцу и сливается с Ним.

55. Возвращение к Творцу происходит двумя ступенями.

Постижение управления вознаграждением и наказанием

За каждое исправление – человек ощущает наслаждение и постигает вознаграждения. уготованные ему в будущем мире.

За эгоистический поступок – человек ощущает страдание и видит ожидающее его наказание.

Раскрывающий управление вознаграждением и наказанием человек уверен, что более не согрешит, так же как уверен любой человек, что не причинит сам себе страдания. Кроме того. раскрывающий управление вознаграждением и наказанием человек уверен, что не замедлит при первой возможности совершить альтруистический поступок, так же как любой человек, обнаруживающий за своим поступком большую выгоду или наслаждение.

56. Раскрытие такого управления называется «свидетельством». Творец, раскрытием своего управления (своего лика) сам свидетельствует, что человек более не согрешит.

57. Такое исправление основано на страхе. Будучи уверенным, что за эгоистическими поступками последуют наказания (страдания), человек больше не совершит их.

58. При этом прегрешения человека становятся оплошностями.

• Прегрешение в состоянии одинарного скрытия управления человек совершает потому, что верит в управление вознаграждением и наказанием, но из-за множества страданий, хотя и верит, что страдания пришли к нему в наказание, начинает сомневаться в управлении Творца, в существовании Творца. В таком случае эти прегрешения являются по сути лишь оплошностями, поскольку в целом человек верит в управление вознаграждением и наказанием.

• Прегрешения (эгоистические поступки) в состоянии двойного скрытия управления человек совершает потому, что не верит в управление вознаграждением и наказанием.

59. После исправления, основанного на страхе, когда человеку открывается управление вознаграждением и наказанием, он видит, что прошлые страдания были наказанием за эгоистические действия. Тогда человек становится уверенным, что более не согрешит, и этим исправляет двойное сокрытие до степени оплошностей. Оплошности подобны нарушениям, которые человек совершал в состоянии оди-

нарного сокрытия, когда оступался ненамеренно в результате множества переносимых им страданий.

60. Однако вследствие раскрытия управления вознаграждением и наказанием, основанном на страхе, не происходит исправление. Такое исправление осуществляется только с момента раскрытия лика.

61. Поэтому такое исправление – не полное, и такой человек называется незаконченным праведником или средним.

62. Человек называется «средним», поскольку, удостоившись возвращения из страха и продолжая исправления, может достичь возвращения, основанного на любви – ступени «законченный праведник».

63. Итак, первое раскрытие Творца – это постижение управления вознаграждением и наказанием, когда Творец свидетельствует (поручается) о правильности поступков человека в будущем. Это и есть возвращение, основанное на страхе. При этом злоумышления становятся подобными оплошностям, а человек называется «незаконченным праведником», «средним».

Вторая ступень постижения управления

64. Вторая ступень постижения управления – постижение совершенного, истинного, вечного управления. Человек на этой ступени ощущает, что Творец управляет творениями как добрый ко всем, плохим и хорошим. При этом постигающий человек называется «законченным праведником», постижение называется «возвращением, основанным на любви», а все злоумышления обращаются заслугами.

Итак, прояснились все четыре ступени понимания управления: три первых ступени (двойное сокрытие, одинарное сокрытие, управления вознаграждением и наказанием) – это подготовка и средство к постижению истинного вечного управления.

65. Но почему недостаточно постигнуть третью ступень (управление вознаграждением и наказанием), ведь Творец поручается за то, что человек, находящийся на этой ступени, будет исправен?

66. Почему Творец обязывает человека достичь любви к нему? И как можно обязать любить? Исправляясь, человек естественно начинает любить Творца?

67. Но тогда зачем обязывать человека кроме исправления к любви?

68. Все свойства человека необходимы для исправления в подобие Творцу и созданы только для этого. А все окружающее сотворено для их развития и исправления. Отсюда вытекает, что только раскрытием любви можно исправлять изначально порочные свойства человека, а любое давящее, насильственное воздействие только удлиняет путь исправления.

Четыре ступени любви

69. Существует четыре уровня любви к ближнему или любви к Творцу.

70 – 71. Первая ступень – зависимая любовь вследствие получаемого наслаждения.

• причиняли друг другу зло и поэтому ненавидели друг друга, но не хотят вспоминать;

• приносили друг другу пользу, и потому воспоминания только хорошие.

72 – 73. Вторая ступень – независящая ни от чего любовь: человек узнал, что Творец всегда добр, и в ответ бескорыстно любит его, сливается с ним. Но из отношения Творца к другим эта любовь имеет градации:

• Неабсолютная любовь – до постижения отношения Творца к другим. Ведь если Творец причиняет кому-то страдания, Он предстает несовершенным, отчего пропадает любовь к Нему. Хотя любовь велика, но не абсолютна.

•Абсолютная и вечная любовь – человек постиг любовь Творца ко всем, отчего и в нем рождается вечная и абсолютная любовь.

74. Эти четыре меры любви являются последовательными ступенями сближения с Творцом.

75. Но как пройти две стадии скрытого управления, когда добро Творца скрыто (п. 47), и человек ощущает страдания? Как ощутить доброту Творца и достичь зависимой любви? И далее, как достичь второй меры зависимой любви, когда человек знает, что с рождения и до сего дня Творец посылал ему только добро без крупицы зла? Наконец, как достичь третьей или четвертой ступени любви, если нет вознаграждения за исправление в этом мире? С другой стороны, исправление в условиях свободного выбора происходит именно в состоянии сокрытия.

76. Высшее управление создает нам видение грядущего – сейчас, а его получение – в будущем.

77. Следует понять, как представится человеку видение своего будущего мира в этой жизни?

78. Видение будущего – сейчас – называется прозрением, индивидуально для каждого, и только тот, кто сам постиг Высший мир, знает об этом. А пока человек не удостоился прозрения, должен считать себя грешником. И хотя мир считает его праведником, человек до достижения прозрения не удостаивается даже ступени «несовершенного праведника».

79. Однако если человек знает, что выполнил все исправления, и весь мир согласен с этим, то почему этого недостаточно, и он должен считать себя грешником? Только потому что не достиг прозрения, чтобы увидеть свой будущий мир еще при жизни?

80. Четыре ступени постижения управления Творца:
• две – в скрытии лика;
• две – в раскрытии лика.

Скрытие лика Творца от творений предоставляет место для усилий в исправлении путем свободного выбора – именно эти усилия доставляют максимальное наслаждение Творцу.

81. Но хотя скрытие лика создает условия проявления человеком свободы воли, это состояние считается не совершенным, а переходным к вознаграждению за исправления в состоянии скрытия. Причем вознаграждение за каждое исправление определяется мерой усилий и страданий, которые человек вынес, чтобы выполнять в состоянии скрытия волю Творца (по страданию – платеж).

82. Поэтому необходим переходный период скрытия лика, когда человек пока еще допускает нарушения и не может достичь уровня трепета (612-е исправление) и любви (613-е исправление). А когда он завершает период скрытия, то удостаивается постижения открытого управления (раскрытия лика).

83. Первая ступень раскрытия лика, представляющая собой абсолютно ясное постижение управления вознаграждением и наказанием, приходит к человеку от Творца. Однако, за каждым исправлением, совершенном благодаря усилиям, приложенным по собственному свободному выбору, человек удостаивается увидеть вознаграждение, предназначенное ему в будущем мире, или большую потерю вследствие его нарушения.

84. И, хотя человек видит вознаграждение только в будущем, он может совершать исправления и ощущать наслаждение уже в настоящем, предвкушая будущую награду.

85. Проявление явного управления свидетельствует, что далее человек будет исправляться только всем сердцем и душой, избегая нарушений (612-е исправление, трепет), и постепенно придет к любви – второй ступени раскрытия лика (к 613-му исправлению), став при этом законченным праведником.

86. Итак, мы выяснили, почему человек должен считать себя грешником даже тогда, когда он уверен, что является праведником.

87. Ведь человек не становится законченным праведником, когда удостаивается прозрения, постижения управления вознаграждением и наказанием, поскольку ему недостает еще двух основных исправлений – трепета и любви.

88. Последние два исправления – трепет и любовь – ощущает в себе только сам человек. Другие люди считают его совершенным уже после 611-го исправления. Поэтому нельзя верить кому бы то ни было, кто считает его достигшим трепета и любви, то есть 612-го и 613-го исправлений.

89. В этой жизни человек не получает вознаграждения за исправление, но видит и ощущает его в будущем мире и уверен в нем настолько, будто получил его сейчас. Это рождает в нем зависимую любовь и раскрытие Творца – свидетельство о том, что он не согрешит в дальнейшем.

90. Исправляя себя далее на уровне зависимой любви, возникшей благодаря познанию вознаграждения, которое ожидает его в грядущем мире, человек достигает второй ступени раскрытия лика. При этом он видит, что Творец добр к плохим и хорошим, то есть, достигает независимой любви. Тогда злоумышления становятся заслугами, человек может выполнять все 613 желаний Творца в страхе и любви, и поэтому называется «законченным праведником».

91. Третья стадия управления – управление вознаграждением и наказанием. На этой стадии Творец свидетельствует о праведности человека, но все-таки он является еще «незаконченным праведником», потому что не достиг любви – 613-го исправления.

92. Из сказанного ясно, почему человек обязан достичь любви к Творцу. Но как можно вынудить любить?

93. Посредством усилий в своей работе по исправлению человек удостаивается раскрытия лика как находки, а не как платы за усилия: «Трудился и нашел».

94. Раскрытие Творца происходит только после затраты определенного количества и качества усилий, а если человек не трудился – не найдет.

95. Человек, которому раскрывается Творец, ощущает Его добро.

96. Человек, которому раскрывается Творец, уже не может отстраниться от исправления ради Творца, как невозможно удержать себя от большого наслаждения. Он избегает нарушения, как пожара, и жизнь изливается к нему великим изобилием.

97. Поэтому условие – исправления ради Творца является обязательным, и тогда человек удостоится жизни – света лика Творца. Каждый способен на это, если приложит требуемые усилия.

98. Поэтому есть указание достичь любви. Любовь не приходит путем насилия и принуждения, но если человек прилагает усилия в исправлении, ему раскрывается управление Творца. А когда человек удостаивается открытого управления, любовь приходит к нему естественным образом, сама собой.

99. Творец скрывает себя не в этом мире, а именно в каббале, благодаря которой Он раскрывается. Неизбежно возникают вопросы: с какой целью Творец скрывает Себя? Чтобы люди Его искали и находили? Для чего человеку раскрывать Творца?

100. Одинарное и двойное сокрытия созданы специально, чтобы творения пожелали раскрытия Творца и раскрыли Его.

101. Творец скрывается только в каббале, поэтому только человек, изучающий каббалу, начинает ощущать скрытие Творца. Пока человек не раскрыл Высшее управление, по мере роста усилий он все больше ощущает сокрытие и удаление от Творца. Ему все труднее оправдывать Творца. Однако возрастающая тяжесть – это признак того, что человеку нужно поспешить и приложить требуемую сумму усилий, чтобы достичь раскрытия Творца.

102. Тот, кто прилагает усилия в изучении каббалы ради себя, не выходит из сокрытия в раскрытие – ведь не ради этого он трудится. Напротив, занятия приносят ему двойное сокрытие, и человек совершенно отрывается от Творца, что считается смертью.

103. Каббала называется «тайной наукой», потому что скрывает Творца, и «явной», потому что раскрывает Его. Как указывают каббалисты, порядок постижения начинается с тайны и заканчивается простым явным смыслом.

104. Итак, мы выяснили, как достичь зависимой любви. Награда не следует за исправлением в этом мире, а заключается в раскрытии Высшего управления. Это явное постижение совершенно подобно для человека получению вознаграждения, отчего и раскрывается между ним и Творцом чудесная любовь.

105. Однако, остается еще стадия страданий, обусловленных управлением в период скрытия, о которых человек вспоминает, сам того не желая. Эти страдания конечно же считаются большим изъяном относительно истинного управления Творца, творящего только добро. Как же достичь второй стадии любви, то есть такого постижения, когда человек ощутит и осознает, что Творец никогда не делал ему ни малейшего зла?

106. При возвращении из любви злоумышления обращаются заслугами – Творец не только прощает человеку злоумышления, но обращает их в добрые дела.

107. После того как свет Творца обратил каждое нарушение в исправление, человек рад прошлым страданиям в двух стадиях скрытия. Всякое страдание обращается для человека в большую радость, а любое зло – в чудесное благо.

108. Человек рад прошлым страданиям настолько, что даже сожалеет о малом количестве перенесенных страданий.

109. После того как человек удостоился прощения грехов, когда злоумышления обращаются заслугами, он достигает

327

второй ступени зависимой любви и убеждается, что Творец никогда не причинял ему никакого зла и всегда любил его.

110 – 111. А затем человек приходит к двум стадиям независимой любви.

Для этого он обязан видеть себя на острие выбора: каждое сделанное им исправление склоняет его и весь мир к оправданию, каждое допущенное им нарушение склоняет его и весь мир к обвинению. Как это можно объяснить?

112. Наибольшая трудность заключена в том, чтобы человек видел себя так, будто он лишь наполовину виновен, ведь состояния человека меняются. Например, как можно видеть себя наполовину лжецом?

113. Речь идет о человеке, который ощущает себя абсолютным праведником, потому что достиг первой ступени любви посредством раскрытия Высшего управления, и Творец свидетельствует, что он не вернется к нарушениям. Такой человек должен считать себя «средним»: наполовину виновным и наполовину праведным, потому что ему недостает 613-го исправления – любви. Ведь свидетельство о том, что он не согрешит более, обусловлено лишь его страхом наказания. Такое состояние определяется как трепет перед наказанием и потому называется возвращением из трепета.

114. После состояния возвращения из трепета человек исправляется далее, но при этом страдания, испытанные им в скрытом состоянии, остаются без исправления, и нарушения не исчезают, а только из злоумышлений обращаются оплошностями.

115. Поэтому без 613-го исправления человек должен видеть себя наполовину виновным и наполовину праведным: в период скрытия – виновным, в период раскрытия – праведным.

116. И счастлив человек, если совершает 613-е исправление и тем самым склоняет себя к оправданию. Ведь благодаря возвращению из любви, злоумышления обращаются заслугами, то есть, страдания прошлого обращаются настолько

большими наслаждениями, что, испытывая их, человек сожалеет, что страданий было мало.

117. Но пока человек не совершил 613-го исправления и остается «средним», он еще способен к нарушению, допустив которое, потеряет все постижение и раскрытие лика и вернется в скрытие, утратив все заслуги.

118 – 119. Четвертая стадия любви – вечная любовь, рождается в человеке вследствие постижения им доброты Творца ко всем творениям.

120. Можно подумать, что человек удостаивается стадии законченного праведника, если никогда не грешил, а кто грешил – тот уже не пригоден для того. Но даже законченные грешники, удостоившись возвращения из любви, считаются законченными праведниками.

121. Если после возвращения из трепета человек выполнил последнее исправление, то он склоняет себя и весь мир к оправданию. Ведь раскрывается ему финал развития всех творений, отчего в нем проявляется возвращение из любви, четвертая стадия любви, вечная любовь. Но как человек удостаивается склонить весь мир к оправданию?

122. Если человек будет страдать вместе с обществом, то он удостоится увидеть утешение общества.

123 – 124. Каждый человек проходит ступени:

• грешник – во время скрытия;

• средний – удостаивается возвращения из трепета;

• праведник – удостаивается возвращения из любви в ее четвертой стадии, вечной любви.

125. Невозможно достичь четвертой стадии любви, не достигнув раскрытия, предстоящего всему миру, когда человек склоняет весь мир к оправданию. Ведь раскрытие обращает любое страдание периода сокрытия в наслаждение, вплоть до того, что человек сожалеет о малости страданий. Но откуда ему знать меру страданий, которые терпят все творения в мире, чтобы затем склонить их к оправданию, как происходит с ним самим? Для этого человек обязан всегда страдать

страданиями общества, как собственными – тогда он сможет склонить весь мир к оправданию и удостоится стадии законченного праведника.

126. Для человека, совершившего возвращение из трепета, злоумышления становятся оплошностями. Но если он не страдал вместе с обществом, то не сможет удостоиться возвращения из любви, при котором злоумышления обращаются заслугами.

127. Возвращением из трепета человек не исправляет ничего из периода скрытия. Для этого необходимо достичь состояния возвращения из любви.

128. Ведь человек, не страдающий вместе с обществом, не удостаивается видеть утешение общества, так как не может склонить их к оправданию и увидеть их утешение. И потому никогда не удостоится стадии праведника.

Он не удостаивается так же возвращения из любви, обращающего злоумышления в заслуги, а зло – в чудесные наслаждения. Наоборот, все оплошности и беды, которые человек претерпел, прежде чем удостоиться возвращения из трепета, остаются в силе относительно меры грешников, ощущающих зло от управления Творца. И из-за этого зла, ощущаемого ими, он не может стать полным праведником.

129 – 131. Из вышесказанного следует, что каждый обязан постичь Высшее управление:

• В мере законченных грешников: – из двойного скрытия, незаконченных грешников – из одинарного скрытия. Они обвиняют управление Творца, склоняют себя и мир к обвинению.

• В мере средних, которые раскрывают Высшее управление, возвращаясь из трепета. Они постигли доброе управление, то есть, оправдали его на будущее. Но страдания периода скрытия лика остаются и находится между виной и оправданием, и потому такое состояние называется «средним».

• В мере праведников, которые раскрывают вторую ступень благодаря возвращению из любви, когда злоумышления становятся для них заслугами. Они изменяют обвинение на оправдание, то есть, страдания в период скрытия обращаются для них в наслаждения. Такие люди называются «праведниками», так как они оправдывают Высшее управление.

132. Бывает, что и в скрытии, благодаря большим усилиям, человеку временно раскрывается Высшее управление в мере средних. Однако недостаток состоит в том, что человек не может удержаться в своих качествах, чтобы оставаться таким постоянно. Это возможно лишь посредством возвращения из трепета.

133. Человек обладает свободой выбора лишь во время скрытия, но его основная работа по исправлению начинается после того, как он удостоился возвращения из любви.

134. Высший закон гласит: раскрытие возможно только в месте сокрытия.

135. Все слова в каббале – действия и имена Творца, хотя они и воспринимаются подчас грубыми и неприличными.

136. Человек постигает действительность от несовершенного ее уровня к совершенному. А путь Творца раскрывается из совершенства к несовершенному: созданное вначале совершенство нисходит, выполняя сокращение за сокращением, к нашему материальному миру, и раскрывается нам здесь как несовершенное.

137. Каббала (Тора) и Творец едины. Тора создана в абсолютном совершенстве как Тора мира Ацилут, где Творец, свет и действия Его едины в ней. А затем Тора ступенчато сократилась, спустилась в наш мир, где была дана людям на горе Синай в письменном виде, облаченная в грубые одеяния материального мира.

138. Хотя отличие между одеяниями Торы в этом мире и одеяниями в мире Ацилут неизмеримо, сама Тора при этом, то есть, свет внутри любых одеяний остается неизменным. Более того, грубые одеяния Торы мира Асия своим скрытием

увеличивают свет Торы и не менее ценны, чем свет, облачающийся в них.

139. Именно из большего скрытия раскрывается больший свет. Поэтому в одеяниях этого мира возможно раскрытие максимальное света.

140. Нет различия в Торе, в свете, а все различие лишь в одеяниях, скрывающих Творца. И даже в двойном скрытии Творец пребывает в Торе и облачен в нее, а грубые одеяния Торы скрывают Его от нас.

141. Раскрытие Творца может быть только там, где есть Его скрытие, то есть, в Торе. Ищите Творца в Торе, и кроющийся в ней свет вернет вас к Нему.

142. Тора делится на четыре части, охватывающие всю реальность:

• «Мир», «год», «душа» – три стадии Торы, которые различаются в реальности этого мира.

• Пути существования реальности – ее питание, управление, состояния – четвертая стадия Торы.

143. **«Мир»** представляет собой внешнюю часть реальности: небо, землю, моря и т.п., упоминаемых в Торе.

«Душа» представляет собой внутреннюю часть реальности: человека, животных, упоминаемых в Торе.

«Год» представляет собой причинно-следственное развитие реальности, как например, описываемое в Торе развитие поколений от Адама и далее, где отец является причиной, сын – следствием.

«Существование реальности» представляет собой все пути существования всей внешней и внутренней реальности, приводимые в Торе.

144. Четыре мира – Ацилут, Брия, Ецира и Асия – распространились и вышли один из другого, как печать и отпечаток. То есть все детали Высшего раскрываются в низшем, и все четыре части в мире Ацилут – мир, год, душа и их существование – последовательно отпечатались и раскрылись в мирах Брия, Ецира, Асия и в нашем мире. Таким образом,

источник всего существующего в нашем мире находится в мире Ацилут и нисходит через миры БЕА в наш мир. В нас нет ничего, что не спустилось из мира Ацилут.

145. Открытая Тора представляет собой облачение Торы в большом скрытии в четыре части (мир, год, душа, вид их существования) в этом мире.

Наука каббала представляет собой облачение Торы в четыре части («мир», «год», «душа» и пути их существования) в мирах Ацилут, Брия и Ецира.

146. Таким образом, наука каббала и открытая Тора по сути представляют собой одно и то же. Если человек получает управление скрытием лика и Творец скрывается в Торе, – это значит, что человек занимается открытой Торой. То есть, он еще не подготовлен к получению света от Торы от мира Ецира и выше. Когда человек удостаивается раскрытия, он начинает заниматься наукой каббала, поскольку одеяния открытой Торы утончились для него, и его Тора стала Торой мира Ецира, называемой «наука каббала». Буквы Торы при этом остаются теми же, а изменяются лишь ее одеяния.

147. В состоянии скрытия буквы и одеяния Торы скрывают Творца от человека вследствие совершаемых им злоумышлений и оплошностей. Человек пребывает под угрозой наказания, то есть под воздействием грубых одеяний Торы.

Когда человек удостаивается открытого управления и возвращения из любви, злоумышления становятся для него заслугами. Грубые одеяния обращаются в заслуги и становятся одеяниями миров Ацилут, Брия и Ецира. Нет различия между Торой мира Ацилут и Торой нашего мира, то есть, между наукой каббала и открытой Торой, а все различие только в человеке, занимающимся Торой. Два человека могут заниматься Торой вместе, при этом для одного это будет занятие наукой каббала, Торой мира Ацилут, а для другого – открытой Торой мира Асия.

148. Каббалисты предписывают начинать изучение Торы с тайны, то есть, с открытой Торы мира Асия, в которой

Творец полностью скрыт, а затем изучать Тору мира Ецира (намек), Тору мира Брия (толкование), Тору мира Ацилут (простой смысл). Так постепенно снимаются с Торы все одеяния, скрывающие Творца.

149. Каббала описывает четыре чистых мира отдачи: Ацилут, Брия, Ецира, Асия – и четыре нечистых мира получения с теми же названиями, расположенных параллельно чистым мирам напротив них.

150. Две первые стадии скрытого управления относятся к миру Асия, вследствие чего мир Асия представляет собой, по большей части, зло, а небольшая часть добра в нем также смешана со злом до неузнаваемости:

• В одинарном скрытии большая часть – зло, то есть страдания.

• В двойное скрытии добро смешивается со злом и совершенно неразличимо.

Раскрытие начинается в мире Ецира, который представляет собой наполовину добро и наполовину зло:

• Первая стадия раскрытия происходит в мире Ецира. Зависимая любовь на первой стадии называется «возвращением из трепета». Постигающий ее человек называется «средним», поскольку он наполовину виновен, и наполовину оправдан.

• На второй стадии раскрытия – в мире Брия, любовь также зависима, однако между человеком и Творцом нет никакой памяти об ущербе и каком бы то ни было зле.

• На третьей стадии раскрытия – также в мире Брия, любовь впервые можно считать независимой (первая стадия независимой любви), где больше добра, чем зла, и зло неразличимо. Удостаиваясь последней заповеди, средний склоняет себя к чаше оправдания, а немного зла остается потому, что он еще не склонил к оправданию весь мир. Любовь еще не вечна, но зло незаметно, поскольку человек еще не ощутил никакого зла и ущерба даже по отношению к другим.

• Четвертая стадия раскрытия – независимая и вечная любовь, относится к категории мира Ацилут, где нет ни малейшего зла. Здесь, после того человек склонил к оправданию также и весь мир, любовь становится вечной и абсолютной, и никогда не будет больше представления ни о каком сокрытии. На этой стадии человек уже расценивает все деяния Творца со всеми творениями в категории истинного управления, а самого Творца – исключительно как Доброго и Творящего добро плохим и хорошим.

151. Четыре нечистых мира АБЕА параллельны четырем чистым мирам АБЕА.

Нечистый мира Асия вынуждает человека склонить все к виновности.

Нечистый мир Ецира держит чашу виновности, не исправленную в чистом мире Ецира, и этим властвует над средними, получающими от противоположного мира Ецира.

Нечистый мир Брия имеет достаточную силу, чтобы отменить зависимую любовь. В этом заключается несовершенство любви на второй стадии раскрытия.

Нечистый мир Ацилут содержит малую часть зла, неразличимого в мире Брия. И хотя здесь действует сила истинной любви, относящейся к чистому миру Ацилут, но поскольку человек еще не удостоился склонить весь мир к оправданию, малая часть нечистоты все же способна низложить эту любовь.

152. Нечистый мир Ацилут стоит напротив мира Брия, а не напротив мира Ацилут. В чистом мире Ацилут, откуда происходит четвертая стадия любви, нет нечистоты, поскольку человек уже склонил весь мир к оправданию. Но в мире Брия, из которого исходит третья стадия любви, нечистота определяется как нечистый мир Ацилут, поскольку расположена напротив уровня независимой любви, относящейся к категории мира Ацилут.

153 – 154. Каббалисты адресовали свои книги тем, кто уже находится в раскрытии, чтобы они лучше и полнее узнавали

мир, в котором находятся, так же как ученые пишут научные книги для людей, изучающих этот мир.

155. Каббалисты обязали каждого изучать науку каббала, поскольку те, кто занимается этой наукой, хотя не понимают того, что учат, благодаря сильному желанию и стремлению понять изучаемый материал, возбуждают воздействие на себя Высшего света.

Каждый человек должен достичь наслаждения, уготованного ему Творцом в замысле творения. Если человек не удостоился достижения цели творения в этой жизни, то удостоится в одной из следующих. Он будет рождаться в этом мире до тех пор, пока не достигнет завершения замысла Творца по отношению к себе. Все то время, когда он пытается, хотя и не может пока достичь совершенного состояния, – Высший свет издали светит ему и помогает исправиться, чтобы наполнить его исправленные желания.

Поэтому. когда человек занимается наукой каббала и упоминает имена светов и сосудов, из которых состоит и его душа, Высший свет светит ему издали и постепенно исправляет сосуды его души, приближает его к достижению совершенства.

156. В каббале действует строгое правило: не материализовывать понятия и не воображать себе мнимых объектов. Ведь духовное – это силы, не облаченные во что-либо материальное.

СКРЫТИЕ И РАСКРЫТИЕ ТВОРЦА

Статья не закончена Бааль Суламом, но, тем не менее, представляет собой яркое описание того, как формируется в нас картина мира.

Наше мироощущение ограничено и в значительной степени зависит от внутренних свойств. Современная наука уже близка к пониманию простого факта: все, что человек ощущает, находится внутри него. Как же изменить наши свойства, чтобы взглянуть на мир иначе и увидеть совершенную, вечную реальность?

Для этого необходимо «поменять знак» у человеческой природы: с минуса (эгоизм) на плюс (альтруизм). Тогда мы узнаем, какими видит нас Творец в противоположность тому, каким мы видим мир. На примере двух состояний скрытия и раскрытия Бааль Сулам показывает нам, что преображение мира – это наше внутреннее преображение.

От редакции

Двойное скрытие (скрытие в скрытии)

Человек не ощущает даже обратную сторону Творца, не ощущает, что вообще что-либо исходит от Творца.

Человек ощущает, что Творец покинул его, не обращает на него внимания,

Страдания человек относит на счет судьбы и слепой природы (поскольку отношение Творца к нему ощущается крайне спутанным, он приходит к неверию).

Описание:

Человек молится о своих бедах и совершает хорошие поступки, – но не получает ответа.

Человек перестает молиться о своих несчастьях, – и получает ответ. Человек преодолевает себя, верит в Высшее управление, исправляет свои действия, – но неудачи безжалостно отбрасывают его назад.

Человек перестает верить, совершает плохие поступки, – тогда приходит удача и покой.

Деньги приходят к человеку не честным, а только обманным путем.

Человеку кажется, что люди, идущие путем Творца, – бедны, больны, презренны, некультурны, глупы, лицемерны.

Человеку кажется, что люди, не идущие путем Творца, – преуспевающие, уверенные, здоровые, спокойные, умные, добрые, располагающие к себе.

Когда Высшее управление вызывает плохие ощущения, человек стремится уйти от мыслей, что страдания приходят от Творца. Это ведет к потере веры в то, что Творец вообще управляет творениями, и верит, что все, что приходит к нему, приходит по воле судьбы и природы.

Одиночное скрытие

Творец скрыт, то есть проявляется не как абсолютно добрый, а как приносящий страдания. Считается, что человек видит обратную сторону Творца. Но несмотря на это, человек верит, что все приходит к нему не по воле слепого случая и природы, а что это Творец так относится к нему – в наказание за совершенное или чтобы привести к добру. Человек укрепляется в вере, что Творец надзирает за ним таким образом.

Описание

Человеку не хватает заработка, он полон забот и хлопот, страдает от болезней, его никто не уважает, у него ничего не получается, он не находит покоя.

Раскрытие

Укрепление в скрытии в вере, что Творец управляет всем миром, приводит его к книгам, – он получает свечение (исправляющий свет) и понимание, как укрепиться в вере в управление Творца.

Когда усилия, направленные на веру в управление Творца, накопятся до нужной меры, чтобы подействовал на него (чтобы человек впитал в себя) весь исправляющий свет, он становится готов к тому, чтобы Творец управлял им в состоянии раскрытия, – и Творец раскрывается как «Добрый и Творящий добро» всем своим творениям, всеми природными путями, в соответствии с их желаниями.

Описание:

Человек ощущает от Творца благо, покой, постоянное душевное удовлетворение, зарабатывает легко и достаточно, не знает забот и болезней, становится уважаемым, ему везде сопутствует успех.

Если человек желает чего-либо, то молится, и немедленно получает от Творца.

Когда человек преумножает добрые дела, успех возрастает.

Когда человек сокращает добрые дела, успех уменьшается.

Человек видит, что люди, идущие к исправлению, хорошо зарабатывают, здоровы, уважаемы, спокойны, приятны в общении.

Человек видит, что люди, не идущие к исправлению, не имеют заработка, полны забот, больны, презренны, глупы, некультурны, лицемерами, лживы, отвратительны.

ВОЗДЕЙСТВИЕ ТВОРЦА – ПРЯМО И КОСВЕННО

Статья состоит из нескольких частей, связь между которыми иногда таится между строк.

Прямое управление – это раскрытие Творца как свойства абсолютной отдачи. Косвенное управление – это скрытие Творца.

Мы все постигаем в сравнении, на переходе от темноты к свету, на контрасте. Один лишь свет или одну лишь тьму мы постичь не можем. В нас проявляются две противоположные силы, два полярных свойства: получение и отдача. Оперируя ими в своей работе, мы самостоятельно создаем образ Творца.

Эта постоянная игра раз за разом «встряхивает» наши желания, выстраивая их для правильной работы. Благодаря воздействию высшего света мы пробуждаемся, осознаем свои изъяны и приступаем к исправлению. Именно к этому ведет нас прямое и косвенное управление.

От редакции

КАББАЛИСТИЧЕСКАЯ МЕТАФОРА

На основе статьи Бааль Сулама «Achor ve Kedem Tsartani»

«Сзади и спереди ты объемлешь меня» – это метафора, говорящая о том, что Высшая сила находится в сокрытии (сзади), и в раскрытии (спереди) от человека.

• Ибо Высшая сила управляет всем – с целью довести человека до заранее намеченной цели.

• Ибо Высшая сила «царствует и властвует над всем» – и все возвратится к своему источнику.

• Ибо «нет места, свободного от Творца» – нет ничего, выходящего из-под Его власти.

• Отличие в ощущении человеком Высшей силы – «сзади» или «спереди» – в том, как проявляется всеобъемлющая власть Творца: в настоящем или в будущем.

• Поскольку человек, удостаивающийся соединить этот и духовный миры раскрывает Высшую, управляющую всем силу, в настоящем – во всем происходящем.

• Человек обнаруживает, что все происходящее – это внешнее «одеяние», скрывающее вечное всеобъемлющее управление.

• Высшее управление и в настоящем властвует над всем мирозданием и над каждым решением, действием, над каждой мыслью.

• Высшее управление не раскрывается у всех на виду в настоящем, в виде всадника-Творца, восседающего на коне-творении.

• Наоборот, с виду кажется, будто конь ведет всадника, творение само управляет действительностью.

Но, на самом деле, конь не пробуждается ни к какому движению иначе, как указанием вожжи и узды своего всадника, и человек, раскрывающий власть Высшей силы в таком виде, называет это состояние скрытием лика Творца.

До тех пор, пока человек не удостаивается вручить все свои мысли, решения, поступки одному лишь Творцу, конь будто бы не подчиняется в своих движениях вожжам и узде всадника.

Такая связь человека с Творцом называется обратной (задней) стороной. Но не воображай, что в таком состоянии ты отделен от Высшего управления, ведь «рукою крепкой, мышцею простертою и яростью изливающейся воцарюсь Я над вами». Да не будет отторгнут отверженный, а все мироздание будет катиться к своему корню.

А раз так, то, хотя и видится, что конь якобы ведет всадника в своем презренном желании, истина же в том, что это всадник ведет коня по своему желанию. Однако, это не раскрывается сейчас, в настоящем, а раскроется лишь в будущем.

Таким образом, и на этой стадии есть связь, но обратная – спиной к спине, то есть не по желанию творения, и не по желанию управляющего.

Человек, выполняющий желание Высшей силы, тот, кто сам раскрывает ее власть в настоящем, связан с нею лицом к лицу, то есть по доброй воле управляющего и управляемого. Установление такой связи – и есть желание Высшего.

Человек, раскрывающий истинное управление, отличается тем, что пребывает в радости, а не в горе, в изобилии, а не в нужде, действует по желанию, а не по принуждению. Ведь все стремления человека улавливаются Высшим управлением, и все катится и приходит к своему корню.

А раз так, возникает вопрос: какой же путь желаннее? Путь, определяемый совместным желанием творения и Творца. Как сказано: «И увидел, что свет хорош».

ПРИЛОЖЕНИЕ

Бааль Сулам

Обновленный подход в изложении и изучении каббалы начал формироваться в XX веке. Методику духовного постижения, соответствующую нашему времени, смог создать великий каббалист Йегуда Ашлаг, получивший имя Бааль Сулам по названию своего комментария «Сулам» на Книгу Зоар.

Его труды отличает глубочайший духовный опыт, глобальный охват и широта обсуждаемых тем, приведение целого ряда впечатляющих научных фактов о строении мироздания. При этом Бааль Сулам сосредоточивает внимание исключительно на роли и предназначении человека. Будучи создателем нового подхода к трактовке работ АРИ, Бааль Сулам считается основоположником современной каббалистической науки. Им создано более десятка крупных произведений.

Йегуда Ашлаг родился в Варшаве в 1884 г. и уже с ранних лет был отмечен учителями как человек, непрестанно стремящийся к раскрытию тайн мироздания. Он поражал своих наставников блестящим знанием основополагающих сочинений иудаизма, а также тем, что освоил труды выдающихся западных философов, в том числе Канта, Гегеля, Шопенгауэра, Ницше и Маркса. Впоследствии в своих статьях он сравнит их идеи с позицией каббалы. Еще в Польше Бааль Сулам стал известен как великий знаток каббалы, ученик мудрейших каббалистов, продолжавших цепочку передачи каббалистических знаний после Бааль Шем Това.

В 1921 году, после Первой мировой войны, Бааль Сулам покидает Польшу и перевозит свою семью в Палестину. Сразу по прибытии в Иерусалим он отправляется в каббалистическую школу «Бейт Эль», в течение 200 лет служившую центром изучения этой системы знаний. Однако Бааль Сулам быстро разочаровывается в иерусалимских каббалистах, уровне их образования и самом подходе к изучению и преподаванию этой науки. Оценив сложившуюся ситуацию и видя духовное падение масс, он пытается изменить ход исторического развития, который не предвещает, по его мнению, ничего, кроме наступления новой катастрофы и еще более страшного периода страданий и лишений. Бааль Сулам собирает группу учеников и начинает писать книги, где ставит целью обучение методике правильного восприятия реальности и разумного существования.

В 1926 году Бааль Сулам отправляется в Лондон, где на протяжении двух лет работает над созданием комментария на книгу АРИ «Эц хаим», который называется «Паним меирот у-масби- рот». Весь этот период он ведет оживленную переписку со своими учениками, объясняя им в письмах основные принципы духовной работы человека. Вернувшись в Иерусалим в 1928 году, Бааль Сулам продолжает преподавать каббалу и пишет свой монументальный труд «Учение десяти сфирот», а спустя несколько лет публикует его. Десять сфирот – это внутренняя структура мироздания, включающая в себя духовный мир, наш мир и души, населяющие миры. Монография состоит из шести томов (в общей сложности свыше 2000 страниц) и включает в себя все, что было создано каббалистами на протяжении всей истории существования этой науки. В отличие от своих предшественников, Бааль Сулам составил свой труд, строго придерживаясь всех канонов академического учебника: там есть список контрольных вопросов и ответов для самопроверки, словарь определений, терминов и основных понятий, алфавитный ука- затель и ссылки на письменные источники.

В первой части книги Бааль Сулам излагает суть поставленной им перед собой задачи: **«И это то, о чем я заботился в этом своем разъяснении – объяснить десять сфирот согласно переданному нам божественным мудрецом АРИ, в их духовной чистоте, когда они абстрагированы от всех чувственных представлений, так чтобы любой начинающий мог подступиться к этой науке и не впасть ни в какую материализацию и заблуждение. А с пониманием этих десяти сфирот раскроется возможность также всмотреться и узнать, как разобраться в остальных вопросах этой науки».**

В своих работах Бааль Сулам неизменно стремился выразить внутреннюю суть каббалы, очистить ее от примитивных средневековых представлений, как о мистике и магии, полной чудес и абсурдных фантасмагорий. Он видел в этой науке мощное орудие, способное изменить человека и послужить его со вершенствованию. В 1940 году Бааль Сулам приступает к созданию своего комментария «Перуш Сулам» на Книгу Зоар. Несмотря на ухудшение состояния здоровья, он в течение тринад цати лет работает по восемнадцать часов в сутки. О цели этой работы Бааль Сулам пишет в «Предисловии к Книге Зоар»:

«Из вышесказанного можно понять причину духовной тьмы и незнания, обнаруживаемых в нашем поколении: это произошло потому, что люди перестали изучать науку каббала…

Я знаю, что причина состоит в том, что упала вера, особенно вера в великих мудрецов поколений, а книги каббалы и Книга Зоар полны примеров, взятых из нашего мира. Поэтому возникает страх, что вреда будет больше, чем пользы, поскольку легко можно начать представлять себе овеществленные образы.

Это обязало меня сделать подробные комментарии на сочинения великого АРИ, а теперь и на Книгу Зоар, и этим я полностью ликвидировал страх, потому как прояснил все духовные понятия, отделив их от какого бы то ни было материального представления, выведя их за рамки времени и пространства (как убедятся изучающие), дабы позволить любому простому человеку изучать Книгу Зоар и получать тепло ее света.

Я назвал этот комментарий «Сулам» (лестница), поскольку у него такое же предназначение, как у лестницы: если перед тобой прекрасная вершина, то, чтобы подняться к ней и обрести все сокровища мира, не хватает лишь лестницы. Однако сама лестница не является целью, потому что, если остановишься на ее ступенях и не будешь подниматься дальше, то не выполнишь задуманное.

Так и с моим комментарием к Книге Зоар: объяснить всю глубину сказанного там невозможно. Я хотел лишь указать путь и сделать из этого комментария руководство к действию для каждого человека, чтобы он смог с его помощью подняться, вникнуть в глубину и увидеть суть Книги Зоар. Только в этом заключается цель моего комментария».

После выхода в свет комментария на Книгу Зоар «Перуш Сулам» Й. Ашлаг получил имя «Бааль Сулам» (букв. «владеющий лестницей» в духовный мир). Так принято среди мудрецов каббалы – называть человека не по имени собственному, а по его наивысшему достижению.

Посвятив всю свою жизнь распространению каббалы и оставив после себя бесценный материал, в котором изложена вся современная каббалистическая методика, величайший каббалист XX века Бааль Сулам скончался в 1954 году. Он обработал, изложил и преподнес нам все каббалистические источники в виде, подходящем именно нам, его современникам.

Несмотря на то, что Бааль Сулам жил в наше время, с его творческим наследием происходило совершенно то же самое, что с Книгой Зоар и с трудами АРИ. Часть рукописей была собрана, часть спрятана в подвалах, часть сожжена, однако они до сих пор продолжают «всплывать» и публиковаться. По сей день остается много неизданных рукописей Бааль Сулама, которые в настоящее время готовятся к публикации.

Бааль Сулам является последним звеном в цепочке великих каббалистов всех времен, стоящим на стыке прошлого и будущего поколений.

РАБАШ

Дело отца продолжил его старший сын, Барух Шалом Ашлаг (РАБАШ, 1907–1991). Еще подростком он, вместе с отцом, переехал из Польши в Иерусалим. Всю свою жизнь он учился у него. После смерти Бааль Сулама РАБАШ издал полный комментарий «Сулам» и остальные рукописи отца, а затем сам начал писать статьи по методике внутренней работы для тех, кто стремится постичь истинную реальность. До него ни один каббалист этого не делал.

В своих работах РАБАШ дал подробное описание этапов духовного пути человека. Впоследствии из его статей был составлен пятитомник «Шлавей Сулам». Кроме того, РАБАШ записал уникальнейшие объяснения духовных состояний, услышанные им от отца. Эти записи он так и назвал – «Шамати» (Услышанное). Наряду с трудами Бааль Сулама, его работы являются необходимым для человека источником изучения каббалы, который раскрывает ему истинную картину окружающей действительности и выводит его на качественно новый уровень разумного существования, в гармонии с природой, помогая ему реализовать свое высшее предназначение – постижение замысла творения.

Михаэль Лайтман

Основатель и глава Международной академии каббалы (МАК) – Михаэль Лайтман (философия PhD, биокибернетика MSc) – ученый-исследователь в области классической каббалы.

М. Лайтман родился в 1946 г., в г. Витебск (Беларусь). В 1970 году окончил Ленинградский политехнический институт, по специальности «Биологическая и медицинская кибернетика». В рамках обучения проводил учебную исследовательскую работу в Институте исследования крови, специализировался по электромагнитному регулированию кровоснабжения сердца и мозга. С 1973 г. живет в Израиле, женат, имеет троих детей.

В 1978 г. научные исследования привели М. Лайтмана к изучению древней науки каббала. Он стал учеником Б. Ашлага (1907–1991), сына и последователя величайшего каббалиста XX в. Й. Ашлага (1884–1954), автора комментария «Сулам» (Лестница) на Книгу Зоар (по названию этого труда он получил имя – Бааль Сулам).

Михаэль Лайтман – автор более 70 книг, изданных на сорока языках, член Всемирного Совета Мудрости – собрания ведущих ученых и общественных деятелей, занимающихся решением глобальных проблем современной цивилизации.

МЕЖДУНАРОДНАЯ АКАДЕМИЯ КАББАЛЫ

Международная академия каббалы (МАК) является некоммерческой организацией, основной задачей которой является распространение фундаментальных знаний о системе мироздания и природе человека, способствующих позитивному изменению человечества и нахождению оптимального пути развития цивилизации.

Основатель и глава Международной академии каббалы (МАК) – Михаэль Лайтман (философия PhD, биокибернетика MSc) – ученый-исследователь в области классической каббалы.

Организация занимается просветительской деятельностью и научным исследованием древних и современных систем знаний, раскрывающих интегральную, основополагающую систему законов, влияющих на происходящее в мире. Изучение этих законов позволит человечеству найти решение проблем глобального цивилизационного кризиса.

Основным инструментарием работы ассоциации является ознакомление самой широкой аудитории с информацией о структуре мироздания, роли человека в ней, методологии позитивных изменений и другими системными знаниями, влияющими на состояние и развитие человечества.

Международная академия каббалы в Интернете

http://www.kabacademy.com/

Учебно-образовательный интернет-ресурс — неограниченный источник получения достоверной информации о науке каббала.

Миллионы учеников во всем мире изучают науку каббала. Выберите удобный для вас способ обучения на сайте.

Контакты в Израиле:
тел.: 035419411
email: campuskabbalahrus@gmail.com
Facebook: https://www.facebook.com/campuskabbalah

Блог Михаэля Лайтмана
http:/www.laitman.ru

От автора:

«В последнее время я обнаружил, что люди все больше осознают движение цивилизации к саморазрушению. Но одновременно обнаруживается невозможность предотвратить этот процесс. Общий кризис во всех областях деятельности человека не оставляет надежды на доброе будущее. Каббала говорит, что это состояние человечества — самое прекрасное, потому что из него рождается новая цивилизация, которая будет основана уже на совершенно ином мышлении и восприятии реальности».

Углубленное изучение каббалы

http://www.zoar.tv/

Каждое утро на сайте ведется прямая трансляция уроков каббалиста, д-ра Михаэля Лайтмана для всех, кто занимается углубленным, ежедневным изучением науки каббала и исследованием каббалистических первоисточников.

Видеопортал Зоар.ТВ располагает уникальным контентом: фильмы, телевизионные и радиопередачи, статьи.

Интернет-магазин каббалистической книги

Все учебные материалы Международной академией каббалы основаны на оригинальных текстах каббалистов.

Израиль:
http://66books.co.il/ru/

Россия, страны СНГ и Балтии:
http://kbooks.ru

Америка, Австралия, Азия
http://www.kabbalahbooks.info

Европа, Африка, Ближний Восток
http://www.kab.co.il/books/rus

АННОТАЦИИ КНИГ

КАББАЛА ДЛЯ НАЧИНАЮЩИХ

Предлагаем вашему вниманию учебное пособие по каббале, составленное под руководством каббалиста, основателя и главы Международной академии каббалы Михаэля Лайтмана.

Этот материал впервые был опубликован в 2007 году и успешно многократно переиздавался под названием «Каббала для начинающих» в двух томах.

Каббала дает нам представление об устройстве системы сил, управляющей нашим миром, и о законах ее воздействия. Освоив представленный материал, вы получите начальные сведения о системе управления нашим миром и узнаете, каким образом органично, интегрально в нее включиться как активный элемент, способный изменить не только свое существование, но и будущее всего человечества.

ПОСТИЖЕНИЕ ВЫСШИХ МИРОВ

«Среди книг и рукописей, которыми пользовался мой учитель, рав Барух Ашлаг, была объемистая тетрадь, которую он постоянно держал при себе. В этой тетради были собраны беседы его отца – великого каббалиста Йегуды Ашлага (Бааль Сулама). Он записывал эти беседы слово в слово – так, как они были услышаны им. В настоящей книге я попытался передать некоторые из записей этой тетради, как они прозвучали во мне», – так пишет в предисловии к книге ее автор, Михаэль Лайтман.

Цель книги: дать читателю возможность познать цель творения и помочь сделать первые шаги на пути к ощущению духовных сил.

УСЛЫШАННОЕ (ШАМАТИ)

Статьи, записанные со слов каббалиста Йегуды Ашлага (Бааль Сулама) его сыном и учеником, каббалистом Барухом Ашлагом (РАБАШ). Издание составлено под руководством Михаэля Лайтмана, ученика и ближайшего помощника Баруха Ашлага.

Раскрыв эту книгу, читатель прикоснется к раскрытию смысла своего существования. Он раскроет для себя мир, в котором вечно существует его «я». Это мир человеческой души.

Каждая статья повествует о внутренней работе человека, вставшего на путь самопознания. Если вы взяли в руки эту книгу – она для вас. Вы не обязаны сразу понимать прочитанное, это придет потом. Но всю глубину мудрости, скрытую в этой книге, вы ощутите, прочитав ее первые строки.

КНИГА ЗОАР

До середины двадцатого века понять или просто прочесть книгу Зоар могли лишь единицы. И это не случайно – ведь эта древняя книга была изначально предназначена для нашего поколения.

В середине прошлого века, величайший каббалист 20-го столетия Йегуда Ашлаг (Бааль Сулам) проделал колоссальную работу. Он написал комментарий «Сулам» (лестница) и одновременно перевел арамейский язык Зоара на иврит. Но сегодня наш современник разительно отличается от человека прошлого века. Международная академия каббалы под руководством всемирно известного ученого-исследователя в области классической каббалы М. Лайтмана, желая облегчить восприятие книги современному русскоязычному читателю, провела грандиозную работу – впервые вся Книга Зоар была обработана и переведена на русский язык в соответствии с правилами современной орфографии.

На начало 2018 года вышли в свет уже 10 томов этого издания.

ТАЙНЫ ВЕЧНОЙ КНИГИ

Тора закодирована. Прочитав эту книгу, вы узнаете секреты этого кода. И тогда вы сможете прорваться сквозь внешние события, из которых она на первый взгляд состоит, к тому, о чем в ней действительно говорится. Вы поймете, почему все мировые религии признают за Торой право первенства, ради чего ссылаются на нее политики, философы, писатели... Вам откроется истина.

На начало 2018 года вышли в свет уже 8 томов этого издания.

КЛАССИЧЕСКАЯ КАББАЛА

СБОРНИК ТРУДОВ БААЛЬ СУЛАМА
Адаптированные статьи

Редакционный совет:
Основатель и глава Международной
академии каббалы М. Лайтман,
М. Санилевич, А Козлов, О. Ицексон.

Технический директор: *М. Бруштейн.*
Верстка: *С. Добродуб.*
Выпускающий редактор: *С. Добродуб.*

ISBN 978-965-7577-80-6
DANACODE 760-125

0 76000 00125 5

1 1 7 9 5 0 0 8

104088

M - 1 0 4 0 8 8 - 2 6 9 8 3 4

1 1 5 1 6 6 5 1 5

0000643228014